D0511046

Ein Verzeichnis dieser Serie
finden Sie am Schluß des Bandes.

RALPH SANDER

TREK'N'TRIVIA

DAS GROSSE NEXT GENERATION QUIZBUCH

2222 FRAGEN
FÜR WAHRE TREKKER
UND SOLCHE,
DIE ES WERDEN WOLLEN

Originalausgabe

WILHELM HEYNE VERLAG
MÜNCHEN

HEYNE ALLGEMEINE REIHE
Band 01/10278

Umwelthinweis:
Das Buch wurde auf
chlor- und säurefreiem Papier gedruckt.

Printed in Germany 1997
Umschlagillustration: Bavaria Bildagentur / TCL
Umschlaggestaltung: Atelier Ingrid Schütz, München
Satz: Schaber Satz- und Datentechnik, Wels
Druck und Bindung: Presse-Druck, Augsburg

ISBN 3-453-12447-2

INHALT

VORBEMERKUNG

Liebe Leser!

›Trek'n'Trivia – das große Next Generation-Quizbuch‹ scheint zunächst nicht viel mehr zu sein als nur ein weiteres Quizbuch zum Thema *Star Trek*. Doch dieser Schein trügt.
Hier werden Sie nicht mit tausendmal gestellten Fragen konfrontiert, bei denen Sie schon zu Beginn der Frage die Antwort wissen. ›Das große Next Generation-Quizbuch‹ enthält natürlich auch die eine oder andere Frage, die Sie relativ schnell beantworten können. Aber wir wollen Sie ja auch nicht direkt entmutigen. ›Das große Next Generation-Quizbuch‹ konfrontiert Sie mit Fragen, bei denen Sie auch um die Ecke denken müssen, bei denen Ihr gesamtes Wissen über Next Generation gefordert wird, bei dem Sie nicht einen Moment lang nachlässig sein können.

›Das große Next Generation-Quizbuch‹ suggeriert vielleicht im Titel, daß das Next Generation-Wissen ausreichen könnte, um alles zu beantworten. Dem ist nicht so. Weit gefehlt! Dank vieler Gaststars aus den anderen Serien und vieler Querverweise von Next Generation auf die anderen Serien (und natürlich auch umgekehrt), ist auch ein nicht zu geringes Wissen über die *Classic*-Serie erforderlich sowie über die Filme und die Nachfolgeserien *Deep Space Nine* und *Voyager* (und natürlich auch über andere Serien und Filme).

Es kann geschehen, daß Ihnen im Verlauf des Tests die eine oder andere Frage unterkommt, die Ihnen vertraut erscheint. Aber vertrauen Sie nicht darauf! Manchmal ist es nur eine kleine Nuance, die der Frage eine völlig andere Richtung gibt und die Sie schneller zu einer falschen Antwort verleitet, als Ihnen recht sein kann.

Verlassen Sie sich auf niemanden, vertrauen Sie niemandem, der Ihnen bei der Suche nach den richtigen Antworten helfen will! Vertrauen Sie nicht einmal Ihrem Gedächtnis. Nichts in diesem Buch ist zwangsläufig so, wie es zu sein scheint. Das einzige, was sicher ist: Die Antworten sind irgendwo da draußen. Da, wo noch nie zuvor ein Quizbuch gewesen ist.

Viel Glück. Sie werden es brauchen!

SEKTION 0001

Die Stars lassen bitten

Sektion 0001 befaßt sich mit den wichtigen Schauspielern von Next Generation und den wichtigsten und/oder wiederkehrenden Gästen. Gefragt ist hier unter anderem auch Hintergrundwissen zu den einzelnen Karrieren.

1. Gates McFadden führte bei einer Episode zum letzten Mal Regie bei *Next Generation*. Wie hieß die Episode?
2. Der einzige Stammschauspieler aus sieben Jahren *Next Generation*, der nicht bei der Serie Regie führte, ist Marina Sirtis. Stimmt das?
3. In welchen *Columbo*-Episoden spielte William Shatner eine Gastrolle? In welchen Jahren?
4. Bei welcher Episode führte Stewart erstmals Regie?
5. In welchen Rollen war Michelle Forbes in *Next Generation* zu sehen gewesen?
6. Wer führte bei ›Das Pegasus-Projekt‹ Regie?
7. Wann wurde Marina Sirtis geboren?
8. Wie heißen die drei Filme, die auf einer Trilogie des Autors Roddy Doyle basieren und in denen Colm Meaney eine stetig größer werdende Rolle spielte?
9. Ab wann spielte William Shatner die Rolle des T. J. Hooker?
10. Was war so bemerkenswert an der Besetzung von LaForges Eltern in ›Interface‹?
11. Wer führte bei ›Kontakte‹ Regie?
12. In welchem Jahr kam Malcolm McDowell zur Royal

Shakespeare Company, wo er zum ersten Mal Patrick Stewart begegnete?

13. Patrick Stewart war in zwei englischen TV-Vierteilern zu sehen, die auf Romanen eines bekannten Autors basierten. Wie hießen die Vierteiler? Wie hieß der Autor? Welche Rolle spielte Patrick Stewart?
14. Wer führte bei ›Traumanalyse‹ Regie?
15. Bei welchem Kinofilm führte Jonathan Frakes zum ersten Mal Regie?
16. Wo wurde Majel Barrett geboren?
17. Bei welchem *Star Trek*-Film führte Leonard Nimoy erstmals Regie?
18. Wann wurde William Shatner geboren?
19. Welches war Majel Barretts erste *Star Trek*-Rolle?
20. In welchem Film debütierte Majel Barrett auf der Kinoleinwand? In welchem Jahr geschah das?
21. Unter welchem Namen wirkte Majel Barrett im ersten *Star Trek*-Pilotfilm mit?
22. Wann wurde Brian Bonsall geboren?
23. In welchem Jahr heirateten Majel Barrett und Gene Roddenberry?
24. Wo wurde Brent Spiner geboren?
25. Welche Rolle spielte Marina Sirtis in der Bühnenversion der *Rocky Horror Picture Show*?
26. In welcher *Next Generation*-Episode trat Majel Barrett zum letzten Mal als Lwaxana Troi auf?
27. Wann wurde Majel Barrett geboren?
28. Aus welcher Serie war Brian Bonsall bereits bekannt, bevor er die Rolle des Alexander Rozhenko in *Next Generation* bekam?
29. Wann wurde LeVar Burton geboren?
30. Wo wurde LeVar Burton geboren?
31. Wie hieß die Serie, durch die LeVar Burton 1977 über Nacht weltberühmt wurde? Wie hieß seine Rolle?

32. Mit wem war William Shatner in erster Ehe verheiratet?
33. Wie heißt die Kindersendung, die LeVar Burton seit 1983 präsentiert?
34. In welchem Woody-Allen-Film spielte Brent Spiner eine kleine Rolle?
35. Wann wurde Patrick Stewart geboren?
36. Wer war maßgeblich daran beteiligt, daß LeVar Burton für Next Generation vorsprechen durfte?
37. Wie hieß Patrick Stewarts Vater?
38. Wo wurde James Doohan geboren?
39. In welchem Film spielte LeVar Burton 1979 an der Seite von Paul Sorvino, den er in Next Generation als Worfs Adoptivbruder wiedersehen sollte?
40. In einem Spielfilm war LeVar Burton Partner von Steve McQueen. Wie hieß der Film?
41. Welcher regelmäßige *Next Generation*-Gastschauspieler schrieb den *Next Generation*-Comic ›The Gift‹?
42. Wann wurde Denise Crosby geboren?
43. Mit wem war Patrick Stewart in erster Ehe verheiratet?
44. Wann wurde Wil Wheaton geboren?
45. Wie heißt Denise Crosby mit vollem Namen?
46. In welchem Verwandtschaftsverhältnis steht Denise Crosby zu Bing Crosby?
47. In welcher Serie spielte Leonard Nimoy erstmals mit William Shatner zusammen?
48. Wie hieß das Serial, in dem Leonard Nimoy 1952 als Außerirdischer mitwirkte?
49. In welchem Film debütierte Denise Crosby auf der Kinoleinwand?
50. Wie hieß der sonderbare SF/Fantasy/Action/Karate-Film, in dem Denise Crosby 1986 die weibliche Hauptrolle spielte?
51. In welcher Verfilmung eines Romans von Stephen King spielte Denise Crosby die weibliche Hauptrolle?

52. Für welche Rolle in welcher Serie wurde John DeLancie 1984 und 1985 mit einem Soap Opera Digest Award für die beste Nebenrolle ausgezeichnet?
53. Wann wurde Mark Lenard geboren?
54. Wann wurde James Doohan geboren?
55. Wer führte bei *Ronin* Regie?
56. Wo wurde John DeLancie geboren?
57. Wann zog James Doohan nach Los Angeles?
58. Wie oft war John Steuer als Alexander Rozhenko zu sehen?
59. Was ist an der Frau in Rivas Chor so bemerkenswert?
60. Wo wurde Brian Bonsall geboren?
61. In welcher Krimi-Parodie aus dem Jahr 1993 spielte James Doohan in einem Miniauftritt seine Rolle als Scotty?
62. Wie betitelte Leonard Nimoy seine überarbeitete und erweiterte Autobiographie?
63. Wo wurde Michael Dorn geboren?
64. Wo wurde Jonathan Frakes geboren?
65. Wie heißt Wil Wheaton mit vollem Namen?
66. Mit wem ist Jonathan Frakes verheiratet?
67. Was bezeichnet Jonathan Frakes gerne als seinen peinlichsten Auftritt?
68. In wie vielen Episoden spielte Brent Spiner nicht nur Data, sondern auch Lore?
69. Wie heißt Gates McFadden wirklich?
70. In welchen beiden Filmen wirkte Brent Spiner unmittelbar nach *Star Trek: Treffen der Generationen* mit?
71. Was war so radikal anders an der Rolle, die Patrick Stewart in Jeffrey spielte, als Picard?
72. Wie hieß Leonard Nimoys Rolle in *Kobra, übernehmen Sie*?
73. Wann wurde Whoopi Goldberg geboren?
74. In welchem Film spielte Gates McFadden zusammen mit John DeLancie?

75. Wo wurde Colm Meaney geboren?
76. In welchem Teil der *Stirb Langsam*-Reihe war Colm Meaney zu sehen?
77. Mit welchem Film debütierte DeForest Kelley gleich in einer Hauptrolle?
78. Wo wurde Whoopi Goldberg geboren?
79. In welchem Mel Brooks-Film hatte Patrick Stewart eine kleine, aber nicht unbedeutende Rolle?
80. Wie heißt Whoopi Goldberg wirklich?
81. In welchem Steven-Spielberg-Film hatte Whoopi Goldberg ihr Kinodebüt?
82. Wofür erhielt Whoopi Goldberg 1991 einen Oscar?
83. Welche besondere Ehre wurde Whoopi Goldberg 1994 zuteil?
84. Wann wurde Diana Muldaur geboren?
85. Welche Rolle spielte Colm Meaney in der Miniserie *Scarlett*?
86. Wo wurde Gates McFadden geboren?
87. Wie hieß die Sitcom, in der Whoopi Goldberg 1989 eine Hauptrolle spielte?
88. In welchem Film war Whoopi Goldberg zusammen mit Stephen Collins (Captain Decker aus *Star Trek – Der Film*) zu sehen?
89. In welchem *Columbo*-Krimi waren sowohl Walter Koenig als auch William Shatner zu sehen?
90. In welcher *Next Generation*-Season fehlte Gates McFadden?
91. Wie alt war LeVar Burton, als er den Entschluß faßte, Priester zu werden?
92. Wie hieß der Film, in dem Whoopi Goldberg eine kleine Nebenrolle hatte, in dem James Doohan eine noch kleinere Rolle hatte und in dem William Shatner eine zentrale Rolle spielte?
93. Wann wurde DeForest Kelley geboren?

94. Wo wurde Denise Crosby geboren?
95. Wann wurde Leonard Nimoy geboren?
96. Seit wann ist DeForest Kelley verheiratet? Und mit wem?
97. Wer waren DeForest Kelleys Vorgänger als Schiffsarzt der Enterprise?
98. In welcher Serie spielte Diana Muldaur von 1989 bis 1991 die Rolle der Rosalind Shays?
99. Wann wurde Walter Koenig geboren?
100. In welcher englischen Fernsehserie debütierte Colm Meaney?
101. Gates McFadden arbeitete mit Jim Henson einmal vor und einmal hinter der Kamera. In welchen Filmen?
102. Durch wen wurde Gates McFadden in der zweiten *Next Generation*-Season ersetzt?
103. Wann wurde Colm Meaney geboren?
104. Wo wurde Walter Koenig geboren?
105. Wann wurde Gates McFadden geboren?
106. In welchem Steven-Seagal-Film wirkte Colm Meaney mit?
107. Wo wurde Diana Muldaur geboren?
108. Wann heirateten Leonard Nimoy und Sandi Zober?
109. In welchem Schwarzweißfilm spielte Leonard Nimoy an der Seite von Peter Falk?
110. Wie hieß Leonard Nimoys erste Autobiographie (die nicht ins Deutsche übersetzt wurde)?
111. In welchem Jahr heiratete Leonard Nimoy zum zweiten Mal?
112. In welcher *Columbo*-Episode spielte Leonard Nimoy eine Gastrolle?
113. Wo wurde William Shatner geboren?
114. Mit wem war William Shatner in zweiter Ehe verheiratet?
115. Mit wem ist Walter Koenig verheiratet?

116. Bei welchem *Star Trek*-Film führte William Shatner zum ersten Mal Regie?
117. Wo wurde Leonard Nimoy geboren?
118. In welcher Actionfilm-Parodie war William Shatner 1993 zu sehen?
119. In welcher Serie war William Shatner 1975/76 als Jeff Cable zu sehen?
120. Welche kleine Rolle spielte William Shatner von 1994 bis 1995 in seiner eigenen Fernsehserie *TekWar*?
121. Wie steht Walter Koenigs Sohn Andrew mit *Star Trek* in Verbindung?
122. Wo wurde Marina Sirtis geboren?
123. Für welche Rolle war Marina Sirtis in *Next Generation* zunächst vorgesehen gewesen?
124. In welchem Film spielte Marina Sirtis mit, in dem auch Kirstie Alley eine Rolle hatte?
125. Wann wurde Brent Spiner geboren?
126. Welchen Titel trug das Album, auf dem sich Brent Spiner 1991 als Sänger präsentierte?
127. Wer spielte den ersten Alexander Rozhenko?
128. Wo wurde Patrick Stewart geboren?
129. In welchem Film von David Lynch spielte Patrick Stewart mit? Wie hieß seine Rolle?
130. Wer wurde als erster auf Patrick Stewart als Idealbesetzung für die Rolle des Captain Picard aufmerksam?
131. Wo wurde Wil Wheaton geboren?
132. In welcher Verfilmung einer Vorlage von Stephen King spielte Wil Wheaton eine wichtige Rolle?
133. In welcher Episode war Patti Yasutake zum ersten Mal als Schwester Ogawa zu sehen?
134. Wie heißt Walter Koenigs Rolle in *Babylon 5*?
135. Mark Lenard war in ›Botschafter Sarek‹ und ›Wiedervereinigung?, Teil 1‹ Gast der *Next Generation*. In wel-

chen Rollen/Episoden/Filmen war er zuvor in *Star Trek* zu sehen gewesen?

136. Welche Rolle spielte Mark Lenard in der Serie *Planet der Affen*?
137. Wer war Produzent der kurzlebigen Serie *Legend*, in der John DeLancie eine Hauptrolle spielte?
138. In welcher Serie spielte Michael Dorn die Rolle des Jed Turner?
139. Wo wurde Michelle Forbes geboren?
140. Wann wurde Jonathan Frakes geboren?
141. Wann wurde John DeLancie geboren?
142. Wann wurde Michael Dorn geboren?
143. Wie hieß Jonathan Frakes' Rolle in *Fackeln im Sturm*?
144. Wo wurde Mark Lenard geboren?
145. Wo wurde DeForest Kelley geboren?
146. John DeLancie, der den rätselhaften Q spielt, war vor Next Generation vor allem in einer Rolle in einer Soap-Serie bekannt geworden. Wie hieß die Serie und wie hieß seine Rolle?.
147. In welcher Episode von *Babylon 5* hatte Majel Barrett einen Gastauftritt?

SEKTION 0002

In welcher Episode... (Untersektion 1)

Die Frage nach der jeweiligen Episode bezieht sich in dieser Untersektion auf die Serie *Next Generation.* Ist eine andere Serie gefragt, so wird darauf ausdrücklich hingewiesen. Es ist aber nicht zwangsläufig so, daß nur nach *einer* Episode gefragt wird – es können auch *mehrere* Episoden gemeint sein. Das herauszufinden, ist jetzt Ihre Sache. Also: In welcher Episode...

1. ... wird darüber diskutiert, ob Data eine Lebensform ist oder nicht?
2. ... war Barclay zum letzten Mal zu sehen?
3. ... schied Denise Crosby aus Next Generation aus?
4. ... versucht Picard, zwischen den Ornaranern und den Brekkianern zu vermitteln?
5. ... gibt es nach 53 Jahren ein Wiedersehen mit den Romulanern?
6. ... heiratet Miles O'Brien?
7. ... kommt es zum ersten Zusammentreffen mit den Borg?
8. ... wirkte Wesley Crusher zum letztenmal mit?
9. ... ist der Reisende zum letzten Mal zu sehen?
10. ... ist Silva LaForge zu sehen?

SEKTION 0003

Irgendwo im All... (Untersektion 1)

Ordnen Sie die Sternenbasis der richtigen Episode zu.

1.	Sternenbasis 23	A.	Verräterische Signale
2.	Sternenbasis 514	B.	Das Herz eines Captains
3.	Sternenbasis 133	C.	Der zeitreisende Historiker
4.	Sternenbasis 103	D.	Willkommen im Leben nach dem Tode
5.	Sternenbasis 173	E.	Klingonenbegegnung
6.	Sternenbasis G-6	F.	Der Überläufer
7.	Sternenbasis 36	G.	Yuta, die letzte ihres Clans
8.	Sternenbasis 152	H.	Wem gehört Data?
9.	Sternenbasis 211	I.	Verdächtigungen
10.	Sternenbasis 515	J.	Das Experiment
11.	Sternenbasis Earhart	K.	Der einzige Überlebende
12.	Sternenbasis 214	L.	Die Waffenhändler
13.	Sternenbasis 336	M.	Zeitsprung mit Q
14.	Sternenbasis 173	N.	Rikers Versuchung
15.	Sternenbasis 343	O.	Der Telepath
16.	Sternenbasis Lya III	P.	Der Rachefeldzug

SEKTION 0004

Alle Zeit der Sterne (Untersektion 1)

Ordnen Sie der Episode die korrekte Sternzeit zu.

1. Ort der Finsternis	A. 41309,5
2. In den Subraum entführt	B. 46154,2
3. Die Sünden des Vaters	C. 45156,1
4. Code of Honor	D. 45076,3
5. Die Entscheidung des Admirals	E. 41775,5
6. Der unmögliche Captain Okona	F. 47869,2
7. Rikers Vater	G. 43872,2
8. Der Sammler	H. 42686,4
9. Katastrophe auf der Enterprise	I. 44012,3
10. Neue Intelligenz	J. 41235,25
11. Familienbegegnung	K. 43685,2
12. Fähnrich Ro	L. 47254,1
13. Die Verschwörung	M. 42402,7

SEKTION 0005

Aus den Personalakten

In dieser Sektion werfen wir einen Blick auf die Hauptcharaktere der *Next Generation* und ihre Erlebnisse.

1. In welchem Jahr stach ein Nausicaaner Picard während eines Streits ein Messer ins Herz?
2. Wie alt war William Riker, als sein Vater zum ersten Mal mit ihm Anbo-jytsu spielte?
3. Welche Rolle spielte Deanna Troi in dem Holodeckprogramm ›Wilder Westen‹?
4. Wer schrieb das Holodeckprogramm ›Wilder Westen‹?
5. Seit wie vielen Jahren ist Worf in einem der Paralleluniversen in ›Parallelen‹ mit Deanna Troi verheiratet?
6. Wann wurde Beverly Crusher geboren?
7. Mit wem saß LaForge auf Galorndon Core fest?
8. Wann heiratete Beverly Crusher?
9. Welchen Rang bekleidet Ro Laren in ›Die Rückkehr von Ro Laren‹?
10. Wer begleitete Captain Picard auf dem Weg nach Celtris III?
11. Wie lautet Beverly Crushers Mädchenname?
12. Mit wem war Beverly Crusher verheiratet?
13. Wie nannte sich Picard, nachdem er von den Borg assimiliert worden war?
14. Welche Funktion erfüllte Data bei der Hochzeit von Miles O'Brien und Keiko Ishikawa?
15. Was geschieht mit LaForge in einem der Paralleluniver-

sen in ›Parallelen‹ nach dem Angriff eines cardassianischen Schiffs?

16. Mit wem war Picard verheiratet, als er das Leben des Kamin lebte?
17. In welcher Stadt lebte Picard, als er das Leben des Kamin lebte?
18. Wann wurde Beverly Crusher Chefmedizinerin der Enterprise?
19. Welche Rolle fiel Data in Qs Robin-Hood-Variation zu?
20. Warum übernahm Deanna Troi nach der zweiten Kollision mit zwei Quantenfäden das Kommando über die schwer beschädigte Enterprise?
21. In einem der Paralleluniversen in ›Parallelen‹ hat Worf keinen Sohn namens Alexander, sondern zwei andere Kinder. Wie heißen sie?
22. Was schenkt William T. Riker seinem Doppelgänger Thomas Riker zum Abschied?
23. Welchen Spitznamen hatte Worf bei der wöchentlichen Pokerrunde auf der Enterprise?
24. Gegen wen sollte Tasha Yar in einem Kampfsportwettbewerb antreten, vor dem sie aber von Armus getötet wurde?
25. Wann wurde Wesley Crusher geboren?
26. Welche Rolle spielte Worf in Qs Robin-Hood-Interpretation?
27. Welche Rolle spielte Wesley Crusher in Qs Robin-Hood-Interpretation?
28. Wer verfaßte ›Lineare Modelle viraler Fortpflanzung‹?
29. Mit welchem ›antiken‹ Fortbewegungsmittel verglich sich Data in ›Der zeitreisende Historiker‹?
30. Wodurch wurde die intime Beziehung zwischen Picard und Phillipa Louvois beendet?
31. Was war Worfs erster Kommentar, als er in Qs Robin-Hood-Interpretation auftauchte?

32. Wieso fand Picard es so lustig, daß sein Jugendfreund Louis Leiter des Atlantis-Projektes wurde?
33. In welchem Jahr wurde Data nach der Zerstörung der Omicron Theta-Kolonie entdeckt?
34. Welche Pflanze führte Keiko O'Brien auf einem Flug im Shuttle Fermi mit sich?
35. Welche Pflanze hielt Ensign Ro irrtümlich für eine Draebidium froctus?
36. Wer konstruierte Data?
37. In welchem Jahr kamen sich K'Ehleyr und Worf zum ersten Mal näher?
38. Mit wem spielt Data zu Beginn der Episode Descent (›Angriff auf Borg, Teil 1‹) Poker?
39. Wann erfuhr Worf, daß er der Vater von K'Ehleyrs Kind Alexander war?
40. In welcher Episode wirkte Wesley Crusher zum letztenmal mit?
41. Wann wurde LaForge auf die Enterprise versetzt?
42. Welche Rolle spielte Geordi LaForge in Qs Robin-Hood-Rollenspiel?
43. In welchem Jahr wurde Alexander Rozhenko geboren?
44. Wann verließen die O'Briens die Enterprise, um sich auf Deep Space Nine neuen Aufgaben zu widmen?
45. Wann wurde Keiko O'Briens Mutter geboren?
46. Wann wurde Jean-Luc Picard geboren?
47. Wann wurde Ro Laren geboren?
48. Von wann bis wann befehligte Picard die U.S.S. Stargazer?
49. Wann wurde Worf geboren?

SEKTION 0006

Wer schrieb das Drehbuch zu... (Untersektion 1)

Ordnen Sie dem/den Autoren die richtige Episode zu.

1. Die geheimnisvolle Kraft	A. Peter Allan Fields
2. Die Verschwörung	B. Brannon Braga
3. Katastrophe auf der Enterprise	C. René Echevarria
4. Hochzeit mit Hindernissen	D. Ronald Wilkerson und Jean Louise Matthias
5. Eine hoffnungsvolle Romanze	E. Robert L. McCullough
6. Datas Hypothese	F. John Whelpley und Jeri Taylor
7. Gefangen in einem temporären Fragment	G. Ronald D. Moore
8. Ronin	H. D. C. Fontana
9. Interface	I. Gary Percante und Michael Piller
10. Der Moment der Erkenntnis, Teil 2	J. Brannon Braga
11. Der Feuersturm	K. Tracy Tormé
12. Endars Sohn	L. Naren Shankar
13. Das Herz eines Captains	M. Joe Menosky

SEKTION 0007

Raumschiffklassen (Untersektion 1)

Ordnen Sie die Raumschiffe der ihnen entsprechenden Klasse zu.

1. U.S.S. Berlin
2. U.S.S. Sutherland
3. U.S.S. Tsiolkovsky
4. U.S.S. Jenolen
5. U.S.S. Ajax
6. U.S.S. Tian An Men
7. U.S.S. Adelphi
8. U.S.S. Buran
9. U.S.S. Yosemite
10. U.S.S. Phoenix
11. U.S.S. Tripoli
12. U.S.S. Galaxy
13. U.S.S. Brattain
14. U.S.S. Zhukov

A. Ambassador-Klasse
B. Nebula-Klasse
C. Hokule'a-Klasse
D. Galaxy-Klasse
E. Nebula-Klasse
F. Excelsior-Klasse
G. Sydney-Klasse
H. Apollo-Klasse
I. Oberth-Klasse
J. Miranda-Klasse
K. Oberth-Klasse
L. Challenger-Klasse
M. Miranda-Klasse
N. Ambassador-Klasse

SEKTION 0008

Alle Zeit der Sterne (Untersektion 2)

Ordnen Sie der jeweiligen Episode die richtige Sternzeit zu.

1. Das kosmische Band	A. 46041,1
2. Die Thronfolgerin	B. 45470,1
3. Willkommen im Leben nach dem Tode	C. 45614,6
4. Das Recht auf Leben	D. 46731,5
5. Odan, der Sonderbotschafter	E. 46271,5
6. Todesangst beim Beamen	F. 44356,9
7. Die Macht der Naniten	G. 45122,3
8. Das künstliche Paradies	H. 42568,8
9. Gefangen in einem temporären Fragment	I. unbekannt
10. Eine Handvoll Datas	J. 46944,2
11. Das fehlende Fragment	K. 44821,3
12. Die Rettungsoperation	L. 44215,2
13. Verbotene Liebe	M. 43125,8

SEKTION 0009

Nächste Haltestelle Sternenbasis 34B

In dieser Sektion wird Ihr Wissen über die Sternenbasen der Föderation getestet.

1. Welche Sternenbasis sollte die Enterprise auf Anweisung der Ktarianer anfliegen, um dort deren abhängig machendes Spiel zu verteilen?
2. Auf welcher Sternenbasis lieferte Worf 2367 seinen Sohn ab, der von Worfs Adoptiveltern nach dem Tod von K'Ehleyr in Empfang genommen wurde?
3. Wer befehligte Sternenbasis 73, als die Enterprise dort den Befehl erhielt, in den Ficus-Sektor zu fliegen?
4. Wer war 2364 Commander der Raumstation 74?
5. Welche Sternenbasis entdeckte zuerst, daß sich zwei romulanische Warbirds der D'deridex-Klasse auf Abfangkurs zu Tin Man befanden?
6. Welche Sternenbasis flog die Enterprise nach dem Kontakt mit Tin Man an?
7. Von welcher Sternenbasis wurde K'Ehleyr 2365 in einer Sonde der Klasse 8 auf den Weg zur Enterprise geschickt?
8. Welche Sternenbasis empfing einen Notruf der U.S.S. Lalo, als die 2366 von den Borg angegriffen wurde?
9. Von welcher Sternenbasis kam Ensign Mendon auf die Enterprise?
10. Wie lange würde nach Datas Berechnung der Rückflug aus dem Sektor J-25, in den Q das Schiff gebracht

hatte, dauern, um die nächste Sternenbasis der Föderation, Sternenbasis 185, zu erreichen?

11. Auf welcher Sternenbasis wurde Berlingoff Rasmussen nach seiner Festnahme 2368 abgeliefert?
12. Von welcher Sternenbasis kam Neela Daren auf die Enterprise?
13. Auf welcher Sternenbasis gab es ein Zusammentreffen mit Admiral Brackett, bevor die Enterprise sich auf die Suche nach Botschafter Spock begab?
14. Auf welcher Sternenbasis war Admiral Haden 2366 Commander?
15. Von welcher Sternenbasis kam Dr. Leah Brahms 2367 auf die Enterprise?
16. Welche Sternenbasis empfing zuerst eine Nachricht des klingonischen Schläferschiffs T'Ong?
17. Von welcher Sternenbasis nahm die Enterprise medizinische Vorräte für das Alpha Leonis-System auf?
18. Von welcher Erdstation aus kamen Worfs Adoptiveltern 2367 auf die Enterprise?
19. Welche Sternenbasis flog die Enterprise an, nachdem sie Ogus II verlassen hatte?
20. Auf welcher Sternenbasis erhielt Picard den Befehl, in der Angelegenheit des scheinbar verschwundenen Botschafters Spock zu ermitteln?
21. Was verbindet indirekt die aus Next Generation bekannte Sternenbasis Earhart mit *Star Trek: Voyager*?
22. Auf welcher Sternenbasis trafen sich Flottenadmiralin Brackett und Captain Picard, um über das plötzliche Verschwinden von Botschafter Spock zu sprechen?
23. Welcher Außenposten meldete 2367 zuerst das Eindringen der Borg in das Föderationsterritorium?

SEKTION 0010

In welcher Episode...
(Untersektion 2)

1. ... will ein Ferengi Lwaxana Trois telepathischen Fähigkeiten für seine Geschäftsinteressen mißbrauchen?
2. ... war Jean-Luc Picards Mutter zu sehen?
3. ... taucht erstmals Worfs Bruder Kurn auf?
4. ... quittiert Worf seinen Dienst bei Starfleet?
5. ... Episode gibt es eine direkte Verbindung zu *Deep Space Nine*?
6. ... sieht sich Data mit einem Jungen konfrontiert, der ein Android sein möchte?
7. ... geraten Data und Picard in eine Falle der Romulaner?
8. ... wird angenommen, daß Ro Laren und Geordi LaForge bei einem Transporterunfall ums Leben gekommen sind?
9. ... ist Data ein Musketier?
10. ... war Michelle Forbes zum letzten Mal als Ensign Ro Laren zu sehen?
11. ... vergleicht Riker Data mit Pinocchio?

SEKTION 0011

Wer schrieb das Drehbuch zu...
(Untersektion 2)

Ordnen Sie der jeweiligen Episode den richtigen Drehbuchautor zu.

1. Die ungleichen Brüder	A. Morgan Gendel
2. Hotel Royale	B. Rick Berman
3. Erster Kontakt	C. Herbert Wright
4. Wem gehört Data?	D. Keith Mills
5. Familienbegegnung	E. Diane Duane und Michael Roeves
6. Angriffsziel Erde	F. Dennis Russell Bailey, David Bischoff, Joe Menosky, Ronald D. Moore
7. Wer ist John?	G. Joe Menosky und Ronald D. Moore
8. Tödliche Nachfolge	H. Melinda M. Snodgrass
9. Der Schachzug, Teil 1	I. Naren Shankar
10. Datas erste Liebe	J. Ronald D. Moore
11. Der Reisende	K. Thomas Perry, Jo Perry, Ronald D. Moore, Brannon Braga
12. Die Schlacht von Maxia	L. Michael Piller
13. In der Hand von Terroristen	M. René Echevarria

SEKTION 0012

Planeten, Syteme und andere Orte (Untersektion 1)

In *Next Generation* wimmelt es nur so von Planeten, Systemen und anderen Orten im Weltall. Zeigen Sie, daß Sie sich auskennen.

1. Auf welchem Planeten lebt Armus?
2. Auf welchem Planeten findet man die Bandi?
3. In ›Der Ehrenkodex‹ fliegt die Enterprise nach Ligon II, um einen Impfstoff zu erhalten. Zu welchem Planeten soll dieser Impfstoff gebracht werden?
4. Auf welchem Planeten mußte Riker aus diplomatischen Gründen ein Kostüm aus Federn tragen?
5. Auf welchem Planeten traf die Crew der Enterprise-D mit Marouk zusammen?
6. Im Asteroidenfeld in der Nähe welches Planeten versteckten die Mentharer während des Kriegs mit den Promellianern energieabsorbierende Assimilatoren?
7. Captain Darson von der U.S.S. Adelphi nahm mit welchem Planeten Erstkontakt auf?
8. Auf welchen Planeten nahm die Enterprise-D Kurs, nachdem sie 2367 mit dem romulanischen Warbird Devoras zusammengetroffen war?
9. In welchem System befindet sich der Planet Aldea?
10. Welches System passierte die Enterprise-D auf dem Weg zu einer Mission im Guernica-System?

11. Auf welchem Planeten begegnete Riker dem jungen Barash?
12. Wie hieß der Planet, in dessen Orbit William Riker sich seinerzeit weigerte, seinen Captain dorthin beamen zu lassen, da er ihn für zu gefährlich hielt?
13. Welche beiden Planeten bildeten die Koalition von Madena?
14. Von welcher Krankheit wird der Planet Styris IV 2364 heimgesucht?
15. Auf welchem Planeten stürzte der Föderationsfrachter Odin ab?
16. Der Planet Angel One befindet sich in relativ geringer Nähe zu welcher Hoheitsgrenze?
17. Der Planet Angosia III bewarb sich 2366 um die Mitgliedschaft in der Föderation. Welchen Krieg hatte der Planet gerade überstanden?
18. Im Orbit um welchen Planeten befand sich die Forschungsstation von Dr. Nel Apgar?
19. In einer alternativen Zeitlinie, in der sich die Föderation mit den Klingonen im Krieg befand, gab es einen Planeten, wo die Klingonen eine empfindliche Niederlage erlitten. Wie hieß er?
20. Auf welchem Planeten befand sich die Kolonie, die 2368 von der kristallinen Entität vernichtet wurde?
21. Auf welchem Planeten wurden die Schriftrollen von Ardra aufbewahrt?
22. Die S.S. Artemis brachte eine Kolonistengruppe durch einen Navigationsirrtum zum Planeten Tau Cygna V. Welcher Planet war aber das eigentliche Ziel der Kolonisten?
23. Picard sollte 2369 an einer wichtigen diplomatischen Konferenz als Vermittler teilnehmen, wurde aber durch den Tod von Professor Richard Galen davon abgehalten. Auf welchem Planeten sollte die Konferenz stattfinden?

24. Von welchem Planeten sollte die Enterprise Proben einer Plasmaseuche zur Forschungsstation Tango Sierra transportieren?
25. In welchen Quadranten führte das Wurmloch der Barzaner?
26. Auf welchem Planeten kann man der Batarael-Zeremonie beiwohnen?
27. Auf welchem Planeten lebte Martin Benbeck?
28. In welchem Sektor befindet sich das System Benev Selec?
29. Auf welchem Planeten trifft man auf Bersallis-Feuerstürme?
30. Auf welchem Planeten wurde Mitte des 24. Jahrhunderts ein Konflikt zwischen der Föderation und den Talarianern ausgetragen?
31. Mit welchem Mittel wurde die Tricyanat-Vergiftung auf Beta Agni II bekämpft?
32. Welches Ziel steuerte die Enterprise nach dem Zwischenstopp auf der Sternenbasis Montgomery an?
33. Wo befindet sich das System Beta Lankal?
34. Aus welchem System mußte sich Gowron während des klingonischen Bürgerkriegs im Jahr 2368 zurückziehen, um seine Streitkräfte im Mempa-System neu zu ordnen?
35. In welchem System befindet sich die Heimatwelt der Binären?
36. In welchem System befinden sich die Heimatwelten der Anticaner und der Selayaner?
37. Auf welchem Planeten sammelten sich die Duras-Anhänger im klingonischen Bürgerkrieg?
38. Von welchem Planeten stammt Deanna Troi?
39. Auf welchem Planeten befindet sich die Stadt New Manhattan?
40. Im Orbit um welchen Planeten kamen die Duras-Schwestern mutmaßlich ums Leben?

41. in der Nähe welches Planeten sollten sich die Enterprise und die U.S.S. Biko treffen?
42. Auf welchem Planeten wurde die Soliton-Welle bei ihrem ersten Einsatz erzeugt?
43. Welches Ziel hatte die Soliton-Welle bei ihrem ersten Einsatz?
44. In welchem System befand sich der Heimatplanet von Amanda Rogers' Eltern?
45. Auf welchem Planeten befindet sich das Blue Parrot Café?
46. Von welchem Planeten stammen die Bolianer?
47. Auf welchem Planeten hatte das Transportschiff Kallisko seinen Heimathafen?
48. Auf welchem Planeten wollte der klingonische Messias Kahless der Unvergeßliche 1500 Jahre nach seinem Tod wiederauferstehen?
49. In welchem System kam es zum ersten Kontakt der Föderation mit den Borg?
50. Wo versuchte die Starfleet mit einer Armada, die Borg auf dem Weg zur Erde aufzuhalten?
51. In der Nähe welches Planeten griffen die Borg einen Föderationsaußenposten an?
52. Auf welchem Planeten besuchte Deanna Troi ein Neuropsychologie-Seminar?
53. In welchem System wurde ein Gefecht zwischen der Enterprise und der U.S.S. Hathaway simuliert?
54. Im Jahr 2366 drohte ein Mond auf einen Föderationsplaneten zu stürzen, Verursacher war möglicherweise Q, der aber die Situation auch aus der Welt schuf. Wie hieß der Planet?
55. Wie heißt der vierte Planet im Delos-System?
56. In welchem Sektor befindet sich der Planet Bringloid V?
57. In welcher Stadt auf der Erde machten Wesley Crusher und Joshua Albert 2368 Winterurlaub?

58. In welchem System befindet sich der Planet, auf dem noch Jahrzehnte nach dem Massaker von Khitomer Klingonen von den Romulanern gefangengehalten wurden?
59. In welchen Abständen tauchen auf Bersallis III Feuerstürme auf?
60. Auf welchem Planeten arbeiteten die Cardassianer angeblich an einer neuen metagenischen Waffe?
61. Von welchem Planeten stammte Esoqq?
62. Die Chamäleon-Rose wächst auf welchem Planeten?
63. In welchem System wurden Überreste der Charybdis gefunden?
64. Auf welchem Planeten kam Rivas Chor ums Leben?
65. Wo führte Dr. Paul Manheim seine Zeitexperimente durch?
66. Wer war der Leiter der Kolonie auf Moab IV?
67. Auf welchem Planeten wurde der Tarsianische Krieg ausgetragen?
68. Auf welchem Planeten fand 2323 der Marathonlauf der Starfleet Academy statt?
69. Auf welchem Planeten befanden sich ›Darmok und Jalad auf Tanagra‹?
70. Auf welchem Planeten befindet sich die Küstenstadt Darthen?
71. Auf welchem Planeten befindet sich die Genetik-Forschungsstation Darwin?
72. Wo wurde Data zusammengebaut?
73. Auf welchen Planeten beamte sich der tamarianische Captain Dathon mit Picard?

SEKTION 0013

Alle Zeit der Sterne (Untersektion 3)

»Wer hat an der Uhr gedreht...« – ordnen Sie der jeweiligen Episode die richtige Sternzeit zu.

1. Die Sorge der Aldeaner	A. 43745,2
2. Der Telepath	B. 41509,1
3. Das Experiment	C. 44161,2
4. Andere Sterne, andere Sitten	D. 43779,3
5. Verräterische Signale	E. 44390,1
6. Picard macht Urlaub	F. 42976,1
7. Datas Tag	G. 43489,2
8. Der zeitreisende Historiker	H. 45349,1
9. Wer ist John?	I. 43957,2
10. Die Verfemten	J. 42437,5
11. Kraft der Träume	K. 42859,2
12. Das fremde Gedächtnis	L. 44885,5

SEKTION 0014

Planeten und ihre Episoden (Untersektion 1)

Lassen Sie sich von der Überschrift dieser Sektion nicht irritieren. Planeten und Episoden können auf vielfältige Weise miteinander in Verbindung stehen. Mal wird einer dieser Planeten besucht, manchmal wird er nur erwähnt, ohne eine wichtige Rolle zu spielen.

1. Forcas III
2. Boral II
3. Zytchin III
4. Iyaar
5. Tyrus VIIA
6. Tohvun III
7. Tavela Minor
8. Surata IV
9. Suvin IV
10. Vilmor II
11. Parliament
12. Pelleus V
13. Malaya IV
14. Morapa

A. Datas Tag
B. Die oberste Direktive
C. Die geheimnisvolle Kraft
D. Versuchskaninchen
E. Parallelen
F. Indiskretionen
G. Geheime Mission auf Seltris, Teil 2
H. Picard macht Urlaub
I. Das fehlende Fragment
J. Erwachsene Kinder
K. Kraft der Träume
L. Die imaginäre Freundin
M. 11001001
N. Der unbekannte Schatten

SEKTION 0015

Es war einmal... nur wann?

Die Geschichte der Zukunft wird erst noch geschrieben. Aber die *Next Generation*-Zukunft ist geschrieben. Kennen Sie sich in dieser Zukunft aus?

1. In welchem Jahr besuchte Dr. Crusher die Altine-Konferenz?
2. In welchem Jahr starb Dr. Nel Apgar?
3. In welchem Jahrhundert praktizierte Dr. Apollinaire im Sister of Hope-Krankenhaus in San Francisco?
4. In welchem Jahr übernahm Picard die Rolle des klingonischen Schiedsrichters über die Nachfolge?
5. In welchem Jahr wurde Lwaxana Troi von DaiMon Tog entführt?
6. In welchem Jahr wurde der Vertrag von Armens unterzeichnet?
7. In welchem Jahr beanspruchten die Sheliak den Planeten Tau Cygna V für sich, obwohl sich dort eine Föderationskolonie befand?
8. In welchem Jahr starb Marla Aster?
9. In welchem Jahr wurde Bajor zu cardassianischem Territorium erklärt?
10. In welchem Jahr wurde Bajor formell Teil des cardassianischen Imperiums?
11. In welchem Jahr zogen sich die Cardassianer von Bajor zurück?

12. In welchem Jahr kam Reginald Barclay auf die Enterprise?
13. In welchem Jahr übernahm Professor James Moriarty zum zweiten Mal die Kontrolle über die Enterprise?
14. In welchem Jahr nahmen die Barolianer Gespräche über Handelsbeziehungen mit den Romulanern auf?
15. In welchem Jahr wurde die U.S.S. Bozeman aus einer Kausalitätsschleife befreit?
16. In welchem Jahr fand eine Kampfsimulation statt, an der die Enterprise und die U.S.S. Hathaway teilnahmen?
17. Wann wurde die Soliton-Welle zum ersten Mal getestet?
18. Wann starb Admiral J. P. Hanson?
19. Wann und wo wurde die U.S.S. Kyushu zerstört?
20. In welchem Jahr wurde auf Boradis III ein Föderationsaußenposten eingerichtet?
21. In welchem Jahr kehrte der klingonische Messias Kahless der Unvergeßliche nach 1500 Jahren zurück?
22. In welchem Jahr kam es zum ersten Kontakt der Föderation mit den Borg?
23. In welchem Jahr drang zum ersten Mal ein Borg-Schiff in das Gebiet der Föderation ein?
24. In welchem Jahr besuchte Deanna Troi ein Neuropsychologie-Seminar auf Borka IV?
25. In welchem Jahr erhielt Picard den Befehl, mehr über den plötzlich verschwundenen Botschafter Spock in Erfahrung zu bringen?
26. In welchem Jahr geriet die U.S.S. Brattain in einen Tyken-Spalt?
27. In welchem Jahr starb Marc Brooks?
28. In welchem Jahr kam ein unsicherer Waffenstillstand zwischen der Föderation und den Cardassianern zustande?
29. Wann wurde zwischen der Friedensvertrag zwischen der Föderation und den Cardassianern geschlossen?
30. Wann startete die Charybdis von der Erde?

31. Aus welchem Jahr stammte die Flasche Chateau Picard, die Robert Picard seinem Bruder bei dessen Besuch auf der Erde schenkte?
32. In welchem Jahr begann Riva seine Friedensbemühungen auf Solais V?
33. Wann starb Jack Crusher?
34. In welchem Jahr wurden die Schiffe der Daedalus-Klasse außer Dienst gestellt?
35. In welchem Jahr wurde Roga Danar Anführer einer aufständischen Gruppe angosianischer Kriegsveteranen?
36. Aus welchem Jahrhundert stammt das Tox Uthat?
37. In welchem Jahr starb Dr. Ira Graves?
38. In welchem Jahr startete die S.S. Mariposa von der Erde?
39. In welchem Jahr stürzte die Jenolen auf eine Dyson-Sphäre ab?
40. In welchem Jahr wurde die Enterprise NCC-1701-D in Dienst gestellt?
41. In welchem Jahr wurde die U.S.S. Essex als vermißt gemeldet?
42. In welchem Jahr begegnete die Enterprise einem instabilen Wurmloch im Ngame-Nebel?
43. In welchem Jahr wollte Kivas Fajo Data seiner Sammlung einverleiben?
44. In welchem Jahr wurde die Föderation gegründet?
45. In welchem Jahr starb Kyril Finn?
46. In welchem Jahr wurde die U.S.S. Yamato zerstört?
47. Wann rettete die Enterprise den Borg ›Dritter von Fünf‹?
48. In welchem Jahr starb Commander Calvin Hutchinson?
49. In welchem Jahr wurde die Soliton-Welle zum ersten Mal getestet?
50. Von wann bis wann waren Anne und Mark Jameson verheiratet?
51. In welchem Jahr war Captain Edward Jellico kurzzeitig Captain der Enterprise?

52. In welchem Jahr verschwand die U.S.S. Jenolen?
53. In welchem Jahr wandten sich die Kaelonier an die Föderation, um Hilfe für ihre Welt zu bekommen, deren Sonne allmählich starb?
54. in welchem Jahr starb Walker Keel?
55. In welchem Jahr wurde die Horatio zerstört?
56. In welchem Jahr kam die Besatzung der U.S.S. Lantree ums Leben?
57. In welchem Jahr wurde Lore von einem Team der Enterprise entdeckt?
58. In welchem Jahr sahen sich Picard und Phillipa Louvois wieder, nachdem die Stargazer-Untersuchung sie entzweit hatten?
59. Wann startete die U.S.S. Mariposa von der Erde?
60. Wann starb Raymond Marr?
61. In welchem Jahr erforschte die Enterprise den Ngame-Nebel?
62. In welchem Jahr wurde Riker das Kommando über die U.S.S. Melbourne angeboten?
63. In welchem Jahr wurde auf Moab IV eine Erdkolonie gegründet?
64. In welchem Jahr wurde die Erdkolonie auf Moab IV von der Enterprise entdeckt?
65. In welchem Jahr lief Vize-Prokonsul M'ret zur Föderation über?
66. In welchem Jahr wurde die Forschungsstation auf Nervala IV evakuiert?
67. In welchem Jahr wurde auf Nervala IV ein Doppelgänger von Riker entdeckt?
68. In welchem Jahr wurde die Föderationskolonie New Berlin von den Borg angegriffen?
69. In welchem Jahr wurde die Föderationskolonie auf Ohniaka III von den Borg angegriffen?
70. In welchem Jahr wurde das Shuttle Pike zerstört?

71. Wie lange hatte Dr. Dalen Quaice auf der Sternenbasis 133 seinen Dienst verrichtet, als er 2367 von der Enterprise auf seine Heimatwelt Kenda II zurückgebracht wurde?
72. In welchem Jahr starb die Ehefrau von Dr. Dalen Quaice?
73. In welchem Jahr wurde Major Rakal ermordet?
74. In welchem Jahr wurde Devinoni Ral geboren?
75. Aus welchem Jahrhundert kam Berlingoff Rasmussen angeblich?
76. Aus welchem Jahrhundert kam Berlingoff Rasmussen wirklich?
77. Wie alt war Claire Raymond, als sie an Herzversagen starb?
78. In welchem Jahr starb Dexter Remmick?
79. Wie lange lebte Ensign Stefan DeSeve auf Romulus?
80. In welchem Jahr kam Lieutenant Keith Rocha ums Leben?
81. Worf infizierte sich als Erwachsener mit einer klingonischen Kinderkrankheit namens rop'ngor. In welchem Jahr geschah das?
82. In welchem Jahr wurde der Vertrag von Armens unterzeichnet?
83. In welchem Jahr starb Captain Bryce Shumar, Commander der U.S.S. Essex?
84. In welchem Jahr brachte die Enterprise Commander Sisko zur Station Deep Space Nine?
85. Wann wurde die Starfleet Academy gegründet?
86. In welchem Jahr flog die Stargazer Chalna an?
87. In welchem Jahr kam Dr. Paul Stubbs auf die Enterprise, um in den Sektor Kavis Alpha befördert zu werden?
88. In welchem Jahr ereignete sich der Tomar-Zwischenfall?
89. In welchem Jahr starb Dr. Samuel Estragon?
90. In welchem Jahr wurde die U.S.S. Tripoli von romulanischen Spionen gestohlen?

91. In welchem Jahr verlor Deanna Troi vorübergehend ihre empathischen Fähigkeiten?
92. Wann wurde Ishara Yar geboren?
93. Wann wurde Ronin geboren?
94. Wie alt ist der Komet mindestens, dem die Enterprise in ›Der Komet‹ begegnet?

SEKTION 0016

In welcher Episode... (Untersektion 3)

1. ...wurde die Enterprise von Binären gestohlen?
2. ...war der Romulaner Tomalak zum letzten Mal zu sehen?
3. ...ist LaForges Vater zu sehen?
4. ...war Professor James Moriarty zu sehen?
5. ...erhielt O'Brien seine Vornamen? Wie lauten sie?
6. ...erhielt Alyssa Ogawa ihren Nachnamen?
7. ...war Brian Bonsall zum ersten Mal als Alexander Rozhenko zu sehen?
8. ...war erstmals Ten-Forward zu sehen?
9. ...trifft Data auf Dr. Sigmund Freud?
10. ...begegnet Geordi LaForge seiner Mutter Silva?
11. ...war Ro Laren zum letzten Mal in Next Generation zu sehen?

SEKTION 0017

Wer schrieb das Drehbuch zu...
(Untersektion 3)

1. Der Austauschoffizier
2. Das Duplikat
3. Planet Angel One
4. Die Entscheidung des Admirals
5. 11001001
6. Der Moment der Erkenntnis, Teil 1
7. Ich bin Hugh
8. Angriff auf Borg, Teil 2
9. Besuch von der alten Enterprise
10. Die letzte Mission
11. Wem gehört Data?

A. René Echevarria
B. René Echevarria
C. Melinda M. Snodgrass
D. Kacey Arnold-Ince und Jeri Taylor
E. Burton Armus
F. Robert Lewin und Gene Roddenberry
G. Maurice Hurley
H. Michael Michaelian und D. C. Fontana
I. Patrick Barry
J. Brannon Braga
K. Ronald D. Moore

SEKTION 0018

Alle Zeit der Sterne
(Untersektion 4)

1.	Die Reise ins Ungewisse	A.	43349,2
2.	Das Gesicht des Feindes	B.	46125,3
3.	Der Gott der Mintakaner	C.	46830,1
4.	Auf schmalem Grat	D.	47215,5
5.	Der Barzanhandel	E.	44704,2
6.	Die Operation	F.	43173,5
7.	Besuch von der alten Enterprise	G.	45587,3
8.	Angriff auf Borg, Teil 2	H.	47779,4
9.	Verdächtigungen	I.	47410,2
10.	Interface	J.	47025,4
11.	Ritus des Aufsteigens	K.	43385,6
12.	Der Gott der Mintakaner	L.	46519,1
13.	Soongs Vermächtnis	M.	43173,5

SEKTION 0019

Rollen-Spiele (Untersektion 1)

Sie sind meist nur in einer Episode zu sehen, manchmal wird sogar nur von ihnen gesprochen. Aber ohne sie wäre *Next Generation* nur halb so interessant. Wie gut kennen Sie die kleinen Rollen?

1. Wer ist der neue offizielle Herrscher über Ligon II, als die Enterprise abreist?
2. Was legt den Schluß nahe, daß die Duras-Schwestern die Vernichtung ihres Schiffs in *Treffen der Generationen* überlebt haben?
3. Wodurch kam Pomet ums Leben?
4. Wie heißt die Frau, die von Nikolai Rozhenko ein Kind erwartet?
5. Wo wurde Ronin geboren?
6. Wie hieß der Baseballspieler, von dem der Händler Kivas Fajo die einzige noch existierende Trading Card aus dem Jahr 1962 besaß?
7. Welches Stück hörte Omag grundsätzlich in Amaries Bar?
8. Aus welcher Stadt auf der Erde stammte Berlingoff Rasmussen?
9. Auf welches Gebiet hatte sich der Komiker Stano Riga bei seinen Witzen spezialisiert?
10. Wer war Amanda Rogers wirklich, ohne daß sie es wußte?
11. Wie viele Besatzungsmitglieder der Enterprise wollte

Nagilum töten, um mehr über die Vorstellung der Menschen von Leben und Tod zu erfahren?

12. Aus welcher Stadt stammten Kevin und Rishon Uxbridge?
13. Wer war der Leiter der Kolonie auf Bringloid V?
14. Wie nannten die Borg Lore?
15. Welche ›Gothic Novel‹ liebte Lt. Aquiel Uhnari ganz besonders?
16. Mit welcher Flüssigkeit ließ Kivas Fajo Datas Uniform auflösen?
17. Warum hatte Jo'Bril seinen Tod vorgetäuscht?
18. Wer oder was ist Klarc-Tarn-Droth?
19. In was wollte Q Vash in ›Gefangen in der Vergangenheit‹ verwandeln, um Picard einen großen Gefallen zu erweisen?
20. Der kriminelle Captain Korris entzog sich im Jahr 2364 seiner Verhaftung, indem er welchen Kreuzer zerstörte?
21. Warum wurde Lore nach seinem ersten Einsatz deaktiviert?
22. Wie lange trieb Lore im All, bevor ihn ein Schiff der Pakleds entdeckte?
23. Wer befehligte die Charybdis?
24. In welche Abteilung des Schiffs wollte Ensign Cabot 2369 wechseln?
25. Welchen Namen erhielt der einzelne Borg, der von der Enterprise gerettet wurde?
26. Wer war Assistent von Gul Lemec während der Gespräche auf der Enterprise im Jahr 2369?
27. Wie alt war Salia, als sie nach Daled IV zurückkehrte?
28. Welchen Dienstrang erreichte Roga Danar im Tarsianischen Krieg?
29. Welchen Platz belegte Picard beim Marathonlauf der Starfleet-Academy 2323?
30. Wer erfand das Tox Uthat?

31. Welches Spiel steht in direktem Zusammenhang mit Picards künstlichem Herzen?
32. Wie heißt der Ferengi, der der Enterprise in ›Die Raumkatastrophe‹ nicht helfen will, ein vermißtes Föderationsschiff zu finden?
33. Welche wiederkehrende Rolle aus Next Generation hatte einen ›Auftritt‹ in *Voyager* in ›Das Holo-Syndrom‹?
34. Wie heißt die Frau, die Dixon Hill alias Picard in ›Der große Abschied‹ um Hilfe bittet?
35. Wie lauteten die Initialen der Frau, deretwegen Picard auf der Starfleet Academy in Organischer Chemie durchfiel?
36. Wie hieß der Kadett, der bei dem verbotenen Kolvoord Starburst-Manöver ums Leben kam, bei dem auch Wesley Crusher beteiligt war?
37. Wer war Führer der Flugstaffel, die das verbotene Kolvoord Starburst-Manöver durchführte, in dessen Folge Kadett Joshua Albert ums Leben kam?
38. Wie hieß der Captain der U.S.S. Adelphi?
39. Wer war nach Sev Maylor das nächste Opfer von Botschafter Ves Alkar?
40. Welche besondere Eigenschaft besaßen Salia und Anya?
41. Von welchem Planeten stammte Salia?
42. Von welchem Planeten stammte Anya?
43. Mit wem war Benzan vom Planeten Straleb verlobt?
44. Wen traf Dr. Crusher auf der Altine-Konferenz?
45. Wie viele Arme hatte Amarie?
46. Wer war Flugkontrolloffizier der Enterprise-D während der Mission bei Gamelan V?
47. Wer sind die Eltern von Ba'el? (Namen und Rasse)
48. Wie hieß der Professor, der in ›Das fehlende Fragment‹ Picard dazu bewegen wollte, die Enterprise zu verlassen und ihn auf einer archäologischen Mission zu begleiten?

49. Wer war Assistent des Botschafters Ves Alkar, während der auf Rekag-Seronia vermittelte?
50. Für wen gab sich Jaya auf Tilonius aus?
51. In welcher Stadt auf der Erde wurde Devinoni Ral geboren?
52. Wer stand unter dem Verdacht, Dr. Nel Apgar ermordet zu haben?
53. Wer war für den Tod von Dr. Nel Apgar wirklich verantwortlich?
54. Wie heißt die Frau von Dr. Nel Apgar?
55. Wie viele Sprachen beherrschte Flaherty, Erster Offizier der U.S.S. Aries?
56. Wie oft war Jack Crusher in *Next Generation* zu sehen?
57. Wer hatte die Anschuldigung ausgesprochen, Riker habe Dr. Nel Apgar ermordet?
58. Zwei Kandidaten standen für die Nachfolge des Klingonen K'mpec zur Wahl. Wer wurde von Picard abgelehnt?
59. Um die Nachfolge welches kurz zuvor verstorbenen klingonischen Ratsführers ging es, als Picard als Schiedsrichter über die Nachfolge fungierte?
60. Welche mystische Gestalt bedrohte die Bewohner des Planeten Ventax II?
61. Welcher Ingenieur der Enterprise war anwesend, als 2364 der Reisende zum ersten Mal auf dem Schiff war, und überwachte den Zusammenbau von Datas Bruder Lore?
62. Wie hieß die Tochter der tarellianischen Führerin Wrenn?
63. Von wem hatte Wyatt Miller jahrelang geträumt?
64. Mit wem war Ariel vom Planeten Angel One heimlich verheiratet?
65. Welches Besatzungsmitglied der Enterprise wurde von Armus getötet?
66. Mit wem war Lieutenant Jenna D'Sora liiert, bevor sie sich in Data verliebte?
67. Wer war die vulkanische Botschafterin T'Pel wirklich?

68. In wen verliebte sich Ba'el?
69. Wie hieß der Botaniker und Kollegen von Keiko O'Brien in ›Augen in der Dunkelheit‹?
70. Wie hieß der Friseur der Enterprise?
71. Welchen Mindest-IQ hatte Reginald Barclay nach dem Kontakt mit der cytherianischen Sonde?
72. Wie lautet Barclays vollständiger Name?
73. Wie hieß die Geliebte von Professor James Moriarty?
74. Von welchem Holodeck-Polizisten wurde Picard als Dixon Hill verhört?
75. Welche Holodeck-Figur wurde in ›Der große Abschied‹ ermordet?
76. Wer war Chefingenieur des Terraforming-Projekts auf Velara III?
77. Wie hieß der Leiter der medizinischen Einrichtung Sikla auf Malcor III?
78. Warum wurde der Leiter der medizinischen Einrichtung Sikla auf Malcor III seines Amtes enthoben?
79. Wie heißen die Duras-Schwestern?
80. Wer ist jünger: B'Etor oder Lursa?
81. Wie heißt Duras' unehelicher Sohn?
82. Wen hätte Susanna Leijten beinahe geheiratet?
83. Wer sah als erster den auferstandenen klingonischen Messias Kahless?
84. Wen hatte Picard als Mörder der Holodeck-Figur Jessica Bradley in Verdacht?
85. Wer leitete die Ermittlungen an der Starfleet Academy nach dem Tod des Kadetten Joshua Albert?
86. Welchen – ihm nicht bekannten – Spitznamen hatte Reginald Barclay?
87. Von welchem Botschafter wurde Kamala zu ihrer Hochzeit begleitet?
88. Wen sollte Kamala heiraten?
89. Wie hieß der Commander des Ferengi-Schiffs Kreechta?

90. Wie hieß die Assistentin von Dr. Ira Graves?
91. Wie hieß der Leiter der Kolonie auf Bringloid V?
92. Wie hieß der Erste Offizier der U.S.S. Brattain?
93. Mit wem war Ensign Janet Brooks verheiratet?
94. Wer bediente die Transporterkontrollen, als Ensign Ro und Geordie LaForge bei einem scheinbaren Transporterunfall verschwanden?
95. Wer hatte im Jahr 2369 das Kommando über die Sternenbasis 29?
96. Welcher Captain wechselte vorübergehend von der U.S.S. Cairo auf die Enterprise?
97. Wen wollte Lwaxana Troi 2368 heiraten?
98. Wer entwickelte das künstliche Herz, von dem Picard eines bekam?
99. Wie hieß die Vermieterin, die Picard und seiner ›Schauspielertruppe‹ im San Francisco des 19. Jahrhunderts eine Unterkunft verschaffte?
100. Wer war der letzte Captain der Enterprise NCC-1701-C?
101. Mit wem war der Subraumtheoretiker Dr. Christopher verheiratet?
102. Wer leitete die Forschungsstation der Föderation auf Ventax II?
103. Unter welchem Namen ist Samuel Langhorne Clemens besser bekannt?
104. Wie hießen die drei ›Tiefgekühlten‹, die von der Enterprise entdeckt wurden?
105. In welcher Abteilung der Enterprise verrichtete Neela Daren ihren Dienst?
106. Welche musikalische Begabung zeichnete Neela Daren aus?
107. Wer war 2365 Leiterin der Genetik-Forschungsstation Darwin?
108. Welchen Rang bekleidete Picard in der von Barash erzeugten virtuellen Realität?

109. Wer hatte 2365 das Kommando über die U.S.S. Yamato?
110. Wen wollte Barclay an seiner Stelle auf die U.S.S. Yosemite schicken wegen seiner Angst vor dem Transporter?
111. Wie hieß der Starfleet-Offizier, der 2349 seine Staatsbürgerschaft der Föderation aufgab, um auf Romulus zu leben?
112. Wie hieß der Captain der U.S.S. Hood, unter dem Riker kurz vor seiner Versetzung auf die Enterprise diente?
113. Welcher Admiral befehligte 2367 das romulanische Schiff Devoras?
114. Wie hieß der neotranszendentalistische Philosoph des 22. Jahrhunderts, der sich für ein einfaches, naturverbundenes Leben einsetzte?
115. Wie hieß der Captain der Nenebek?

SEKTION 0020

Wer schrieb das Drehbuch zu...
(Untersektion 4)

1. Die Damen Troi
2. Illusion oder Wirklichkeit?
3. Sherlock Data Holmes
4. Der stumme Vermittler
5. Eine hoffnungsvolle Romanze
6. Die Reise ins Ungewisse
7. Radioaktiv
8. Wiedervereinigung?, Teil 1
9. Das künstliche Paradies
10. Das Gesetz der Edo
11. Der große Abschied
12. zu Ein Planet wehrt sich
13. Das Standgericht

A. Worley Thorne
B. Jeri Taylor
C. Gary Percante und Michael Piller
D. Brian Alan Lane
E. Fred Bronson und Susan Sackett
F. Jeri Taylor
G. Tracy Tormé
H. Adam Belanoff und Michael Piller
I. Ronald D. Moore
J. Jacqueline Zambrano
K. Jack B. Sowards
L. Robert Sabaroff
M. Joe Menosky

SEKTION 0021

Irgendwo in All... (Untersektion 2)

1. Sternenbasis 301	A. Aquiel
2. Sternenbasis 218	B. Tödliche Nachfolge
3. Sternenbasis 105	C. Der Feuersturm
4. Sternenbasis 73	D. Zeitsprung mit Q
5. Sternenbasis 153	E. Datas erste Liebe
6. Sternenbasis 39-Sierra	F. Wiedervereinigung?, Teil 1
7. Sternenbasis 83	G. Die neutrale Zone
8. Sternenbasis 117	H. Die neutrale Zone
9. Sternenbasis 718	I. Klingonenbegegnung
10. Sternenbasis 212	J. Mission ohne Gedächtnis
11. Sternenbasis 24	K. Die alte Enterprise
12. Sternenbasis 133	L. Eine hoffnungsvolle Romanze
13. Sternenbasis 234	M. Der Kampf um das klingonische Reich I
14. Sternenbasis 118	N. Die Verfemten
15. Sternenbasis Lya III	O. Eine Handvoll Datas
16. Sternenbasis 260	P. Die Überlebenden auf Rana-Vier

SEKTION 0022

tlhIngan maH! (Untersektion 1)

Auch wenn Ihnen bis heute noch nie ein Klingone begegnet ist, sollten Sie sich mit der Sprache dieser zukünftigen Verbündeten befassen. Man weiß ja nie ...

1. Nur Narren kennen keine Furcht.
2. Wir sind Klingonen!
3. Große Taten, große Lieder
4. Die wahre Kraft ist im Herzen.
5. Vertraue deinen Instinkten.
6. Klingonen bluffen nie.
7. Nutze jede Gelegenheit.
8. Ehre ist wichtiger als das Leben.
9. Es ist ein guter Tag zum Sterben.
10. Ein Krieger kämpft bis zum Tod.
11. Klingonen ergeben sich nicht.

A. DujIIj yIvoq.
B. wej Heghchugh vay', SuvtaH SuvwI'.
C. jeghbe' tlhInganpu'.
D. not qoHpu''e' neH ghIjlu'.
E. ta'mey Dun, bommey Dun.
F. tIqDaq HoSna' tu'lu'.
G. tlhIngan maH!
H. not toj tlhInganpu'.
I. Heghlu'meH QaQ jajvam.
J. Hoch 'ebmey tIjon.
K. batlh potlh law' yIn potlh puS.

SEKTION 0023

In welcher Episode... (Untersektion 4)

1. ... spielt eine Frau mit, die mit ›California Dreaming‹ in Verbindung gebracht werden kann?
2. ... war zum ersten Mal ein Friseur an Bord der Enterprise zu sehen?
3. ... muß die Enterprise ein klingonisches Schläferschiff in Empfang nehmen?
4. ... findet der Planet Galvin V Erwähnung?
5. ... war Ensign Sonya Gomez zu sehen?
6. ... gab es den ersten Trill zu sehen?
7. ... war zum ersten Mal der Friseursalon der Enterprise zu sehen?
8. ... war Alyssa Ogawa zum ersten Mal zu sehen?
9. ... war Jean-Luc Picards Vater zu sehen?
10. ... war Brian Bonsall zum letzten Mal in Next Generation als Alexander zu sehen?
11. ... war Worf Adoptivmutter Helena Rozhenko zu sehen?

SEKTION 0024

Alle Zeit der Sterne (Untersektion 5)

Episode	Sternzeit
1. Datas Hypothese	A. 43989,1
2. Genesis	B. 42523,7
3. Planet Angel One	C. 47423,9
4. 11001001	D. 47457,1
5. Ich bin Hugh	E. 41365,9
6. Gefahr aus dem 19. Jahrhundert, Teil 1	F. 45854,2
7. In den Händen der Borg	G. 46307,2
8. Der Reisende	H. 44143,7
9. Endars Sohn	I. 47653,2
10. Wem gehört Data?	J. 45959,1
11. Das Pegasus-Projekt	K. 41263,1
12. Die oberste Direktive	L. 41636,9
13. Mission ohne Gedächtnis	M. 45494,2

SEKTION 0025

Planeten und ihre Episoden (Untersektion 2)

1. Oceanus IV
2. Tyrellia
3. Melona IV
4. Marlonia
5. Acamar III
6. Bersallis III
7. Tagra IV
8. Melina II
9. Ligos VII
10. Velara III
11. Suvin IV
12. Ligon II
13. Mirokin VII
14. Prakal II

A. Der Feuersturm
B. Geistige Gewalt
C. Ein Planet wehrt sich
D. Willkommen im Leben nach dem Tode
E. Datas erste Liebe
F. Gefährliche Spielsucht
G. Das Recht auf Leben
H. In der Hand von Terroristen
I. Erwachsene Kinder
J. Erwachsene Kinder
K. Der Ehrenkodex
L. Eine echte ›Q‹
M. Yuta, die letzte ihres Clans
N. Erwachsene Kinder

SEKTION 0026

Dreierlei (Untersektion 1)

Bringen Sie Rolle, Schauspieler und Episode in Einklang!

1. Timicin	A. Alfre Woodard	a. Der Schachzug, Teil II
2. Zorn	B. Richard Lynch	b. Gefahr aus dem 19. Jahrhundert
3. Devinoni Ral	C. Jerry Hardin	c. Das Kind
4. Stephen Hawking	D. Stephen Hawking	d. Mission Farpoint/ Der Mächtige
5. Koral	E. Matt McCoy	e. Die Auflösung
6. Lal	F. James Worthy	f. Der Barzanhandel
7. Mark Twain	G. Michael Bell	g. Angriff auf Borg, Teil 1
8. Baran	H. Hallie Todd	h. Datas Nachkomme
9. N'Vek	I. David Ogden Stiers	i. Der Gott der Mintakaner
10. Ian Andrew Troi	J. R. J. Williams	j. Star Trek: Der erste Kontakt
11. Lily Sloane	K. Ray Wise	k. Das Gesicht des Feindes
12. Liko	L. David Scott MacDonald	l. Der Schachzug

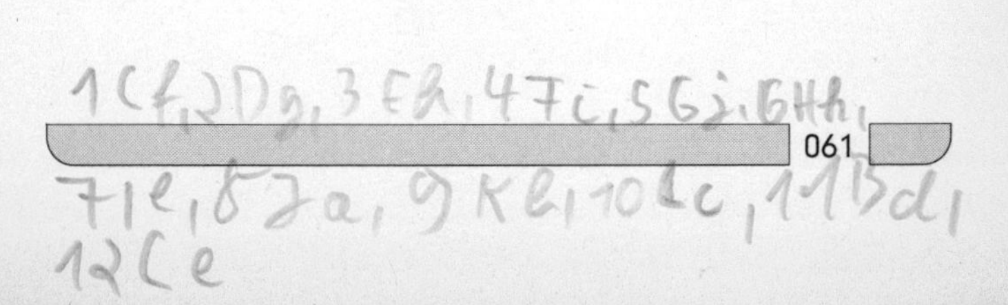

SEKTION 0027

Wer schrieb das Drehbuch zu...
(Untersektion 5)

1. Das zweite Leben
2. Indiskretionen
3. Der Schachzug, Teil 2
4. Soongs Vermächtnis
5. Riker : 2 = ?
6. Das fehlende Fragment
7. Die Auflösung
8. Der schüchterne Reginald
9. Code of Honor
10. Das fremde Gedächtnis
11. Die Verschwörung
12. Willkommen im Leben nach dem Tode
13. Am Ende der Reise

A. Ronald D. Moore
B. Morgan Gendel und Peter Allan Fields
C. Tracy Tormé
D. René Echevarria
E. Sally Caves
F. Ronald D. Moore
G. Ronald D. Moore
H. Jeanne Carrigan Fauci und Lisa Rich
I. Dan Koeppel und René Echevarria
J. Peter Allan Fields
K. Joe Menosky
L. Tracy Tormé
M. Kathryn Powers und Michael Baron

SEKTION 0028

Alle Zeit der Sterne (Untersektion 6)

1. Der Schachzug, Teil 2	A. 47160,1
2. Der Rachefeldzug	B. 47611,2
3. Die alte Enterprise	C. 47751,2
4. Der Planet der Klone	D. 42494,8
5. Galavorstellung	E. 43625,2
6. Am Ende der Reise	F. 45703,9
7. Besuch von der alten Enterprise	G. 42923,4
8. Gefangen in der Vergangenheit	H. 41986,0
9. Die jungen Greise	I. 45571,2
10. Ein mißglücktes Manöver	J. 46125,3
11. Ungebetene Gäste	K. 44741,9
12. Die Neutrale Zone	L. 42823,2
13. Radioaktiv	M. 44429,6

SEKTION 0029

Querbeet

In dieser Sektion müssen Sie mit allem rechnen!

1. Wer ist Autor der Episode ›Kontakte‹?
2. Welchen Namen trägt das Kleid, das zu Beginn von *Next Generation* als Kleidungsstück sowohl für Frauen als auch für Männer vorgesehen war?
3. Was verbindet die *Next Generation*-Episode ›Worfs Brüder‹ mit der Miniserie *V – Die Besucher*?
4. Was verbindet die Episoden ›Déjà Vu‹ und ›Erster Kontakt‹?
5. Wer komponierte die Musik zu *Star Trek: Der erste Kontakt*?
6. Wo wurde die Holodeck-Szene mit Riker, Wesley Crusher und Data aus dem Pilotfilm gedreht?
7. Welches Special zu einer Nicht-Star Trek-Serie verbindet *Next Generation, Deep Space Nine, Voyager* und *Star Trek: Treffen der Generationen*?
8. Aus den Kompositionen welcher Komponisten wurde die Titelmusik von *Next Generation* zusammengesetzt?
9. Nennen Sie die Episoden der ersten Season, für die Tracy Tormé das Drehbuch schrieb.
10. Dieser Kampfsport wird von vielen als die ultimative Kampfsportart bezeichnet. Wie heißt sie?
11. Nach wem wurde Picards Tante Adele benannt?
12. In welcher Stadt spielt das Holodeckprogramm ›Wilder Westen‹?

13. Die Westernaufnahmen für ›Eine Handvoll Datas‹ wurden auf dem Gelände welches Studios gedreht?
14. Der romulanische Admiral Alidar Jarok wohnte in der Nähe eines Ozeans auf dem Planeten Romulus. Wie hieß er?
15. Wie viele Rechtsexperten der Föderation waren erforderlich, bevor der Vertrag von Armens unterschriftsreif war?
16. Mit welcher Maßnahme reagierte Picard auf die Ankündigung Nagilums, etwa die halbe Besatzung der Enterprise zu töten?
17. Worin unterschied sich die Aktivierung der Selbstzerstörung der Enterprise zwischen *Classic*-Serie/Filmen und *Next Generation*?
18. Welches Spiel zog Ensign Corin Zweller einer Partie Dom-jot vor?
19. Wie lange war die U.S.S. Bozeman in einer Kausalitätsschleife gefangen?
20. Wie viele Besatzungsmitglieder der Enterprise kamen ums Leben, als sie 2369 versuchten, einen Föderationsaußenposten auf Bersallis III vor einem Feuersturm zu schützen?
21. Wie hieß die erste Kurzgeschichte um den fiktiven Detektiv Dixon Hill?
22. Wie nennt man die Gesellschaftsform der Borg?
23. Wer entwickelte den ersten Entwurf für das Borg-Schiff?
24. Wie viele Schiffe wurden von den Borg bei Wolf 359 zerstört?
25. Wie viele Starfleet-Mitglieder kamen bei der Attacke der Borg bei Wolf 359 ums Leben?
26. Nach dem Friedensvertrag mit den Cardassianern wurden verschiedene Welten, die zuvor zur Föderation gehörten, den neuen Verbündeten zugesprochen. Welche Widerstandsgruppe bildete sich daraufhin unter den ehemaligen Föderationsmitgliedern?

27. Welchen Titel trug die ›Gothic Novel‹, die Lieutenant Aquiel Uhnari gefiel?
28. Wie viele Föderationskolonisten kamen bei dem Angriff auf Delta Rana IV ums Leben?
29. Wer entwickelte das Konzept einer Dyson-Sphäre?
30. Für welchen Konflikt hatten die Waffenhändler von Minos das System Echo Papa 607 entwickelt?
31. Wie alt war Jeremiah Rosso, als er von Endar gefunden wurde?
32. Wie heißt der Feiertag anläßlich der Wiederkehr der Gründung der Föderation?
33. Wie oft wurde das Shuttle Justman eingesetzt?
34. Mit welchem Zug reagiert man beim 3-D-Schach normalerweise auf ein Kriskov-Gambit?
35. Was stimmt nicht auf der Brücke der Enterprise-B?
36. Wie lautete das Kinderlied, das an Bord der Enterprise in der Grundschule gelehrt wurde, das Picard aber nicht so gut gefiel, da er lieber ›Frère Jacques‹ hörte?
37. Welches Shakespeare-Stück wollte ein gewisser Mr. Peckard im Jahr 1893 in San Francisco aufführen?
38. Was beabsichtigten die Gründer der Kolonie auf Moab IV?
39. Wessen Gegenspieler war Professor James Moriarty ursprünglich?
40. Wer hatte Professor James Moriarty erfunden?
41. Warum flog die Enterprise 2369 den Planeten Nervala IV an, der acht Jahre zuvor evakuiert worden war?
42. Welche Föderationskolonie wurden nach dem Angriff der Borg auf Ohniaka III als nächste von den Borg angegriffen?
43. Wie viele Kolonisten verschwanden zusammen mit der Kolonie New Providence?

44. Wie viele Personen umfaßte die Föderationskolonie auf Ohniaka III?
45. In welcher Dixon Hill-Geschichte tötet Jimmy Cuzzo einen Mann namens Marty O'Fallon?
46. Nach wem wurde das Shuttle Pike benannt?
47. Was wurde in der Vereinbarung von Seldonis IV festgelegt?
48. Wo war das Schiff der Sheliak aus ›Die Macht der Paragraphen‹ in veränderter Form bereits zu sehen gewesen?
49. Wie hieß das Holodeckprogramm, das 2369 James Moriarty zum Leben erweckte?
50. Welche ›antike‹ Sportart bevorzugte Dr. Paul Stubbs?
51. Welche Parteien waren an dem Tomar-Zwischenfall beteiligt?
52. Welche sonderbare Erscheinung stellt Deanna Troi in ›Traumanalyse‹ dar?
53. Welchen Titel trägt das Bild, das Data zu Worfs Geburtstag gemalt hat?
54. Wie viele Lichtjahre waren in *Star Trek: Treffen der Generationen* die Transportschiffe der El-Aurianer entfernt, als die Enterprise-B deren Notruf empfing?
55. Wie viele andere Schiffe namens Enterprise rufen in einem der Paralleluniversen in ›Parallelen‹ die Enterprise?
56. Über was verfügt die U.S.S. Pegasus, das sie von anderen Föderationsschiffen unterscheidet?
57. Was ist widersprüchlich an der Aussage, daß Ronin seit seiner ersten Liebe immer bei den Howard-Frauen blieb, die so in ›Ronin‹ gemacht wurde?
58. Was verbindet ›Am Ende der Reise‹ mit ›Familienbegegnung‹ und Der Reisende?
59. Wen stieß Data ins Holodeckwasser, weil er das für lustig hielt?

60. Wie viele tote Romulaner wurden auf dem Amargosa-Observatorium entdeckt?
61. Mit welcher Champagnermarke aus welchem Jahr wurde die Enterprise-B in *Star Trek: Treffen der Generationen* getauft?
62. Was hatten die Romulaner auf dem Amargosa-Observatorium gesucht?
63. Für was hielt Dr. Soran LaForge?
64. Auf welches Schiff wurden Picard und Riker aus dem Wrack der Enterprise-D gebeamt?
65. Wie hieß Kirks Hund im Nexus?
66. Welche Registriernummer hatte das Transportschiff Lakul?
67. Die Bevölkerung des Planeten Kesprytt setzt sich aus den Kes und den Prytt zusammen. Welche der beiden Bevölkerungsgruppen ist in der Überzahl?
68. Wie viele Raumschiffe der Föderation würden sich laut Rikers Drohung auf den Weg nach Kesprytt machen, wenn Picard und Crusher nicht unversehrt auf die Enterprise zurückkehrten?
69. Von welchem Planeten kehrte Worf in ›Parallelen‹ auf die Enterprise zurück?
70. Von wem erhielt Worf in ›Parallelen‹ ein Gemälde geschenkt?
71. In welcher Region befindet sich der Planet Vagra II?
72. An welchem Tag sollten zahlreiche wichtige Systeme der Enterprise-B in *Star Trek: Treffen der Generationen* installiert werden?
73. Was verbindet ›Am Ende der Reise‹ mit der *Classic*-Episode ›Der erste Krieg‹?
74. Wann hatte *Star Trek: Treffen der Generationen* US-Premiere?
75. Wie viele Passagiere der Lakul kann Scotty auf die Enterprise-D beamen?

76. Was verbindet Richard Compton, den Regisseur der Episode ›Die Frau seiner Träume‹ mit der *Classic*-Serie?
77. Wer war der ›Besuch von der alten Enterprise‹?
78. Wo genau auf der Enterprise-B wurde Kirk in den Nexus gerissen?

SEKTION 0030

In welcher Episode... (Untersektion 5)

1. ... wirkte John Anderson mit?
2. ... war Deanna Troi erstmals in der Standarduniform zu sehen?
3. ... reist Picard mit Wesley Crusher zur Sternenbasis 515?
4. ... wirkte William Boyett mit?
5. ... weigert sich Worf, einem Romulaner Blut zu spenden?
6. ... werden Kinder von der Enterprise entführt?
7. ... wird die U.S.S. Yamato zerstört?
8. ... gibt es ein Wiedersehen zwischen Kyle Riker und Will Riker?
9. ... werden die Besatzungsmitglieder der Enterprise als ›häßliche, zum größten Teil aus Wasser bestehende Säcke‹ bezeichnet?
10. ... steht ein Treffen mit den Jarada bevor?
11. ... wird Gowron zum Führer des klingonischen Imperiums ernannt?

SEKTION 0031

Raumschiffklassen (Untersektion 2)

1. U.S.S. Akagi
2. U.S.S. Cairo
3. U.S.S. Charleston
4. U.S.S. Hornet
5. U.S.S. Potemkin
6. U.S.S. Renegade
7. U.S.S. Fearless
8. U.S.S. Repulse
9. S.S. Vico
10. U.S.S. Gettysburg
11. U.S.S. Horatio
12. U.S.S. Drake
13. U.S.S. Gorkon
14. U.S.S. Grissom

A. Excelsior-Klasse
B. Oberth-Klasse
C. New Orleans-Klasse
D. Excelsior-Klasse
E. Excelsior-Klasse
F. Rigel-Klasse
G. Ambassador-Klasse
H. Wambundu-Klasse
I. Excelsior-Klasse
J. Excelsior-Klasse
K. Renaissance-Klasse
L. Excelsior-Klasse
M. Excelsior-Klasse
N. Constellation-Klasse

SEKTION 0032

Wie lautet die Registriernummer...
(Untersektion 1)

Auf der Untertassensektion der Föderationsschiffe ist die Registriernummer größer als der Raumschiffname. Wenn Sie also schnell feststellen wollen, mit wem Sie es zu tun haben, dann sollten Sie die Registriernummer kennen. Hier können Sie zeigen, wie gut Sie sind: Wie lautet die Registriernummer...

1. ... der U.S.S. Stargazer?
2. ... der U.S.S. Sutherland?
3. ... der U.S.S. Tian An Men?
4. ... der U.S.S. Thomas Paine?
5. ... der U.S.S. Tolstoy?
6. ... der U.S.S. Trieste?
7. ... der U.S.S. Tripoli?
8. ... der U.S.S. Tsiolkovsky?
9. ... der S.S. Vico?
10. ... der U.S.S. Victory?
11. ... der U.S.S. Wellington?
12. ... der U.S.S. Yamato?
13. ... der U.S.S. Yosemite?
14. ... der U.S.S. Zhukov?
15. ... der U.S.S. Adelphi?
16. ... der U.S.S. Ajax?
17. ... der U.S.S. Akagi?
18. ... der U.S.S. Aries?
19. ... der U.S.S. Bozeman?

20. ... der U.S.S. Bradbury?
21. ... der U.S.S. Brattain?
22. ... der U.S.S. Buran?
23. ... der U.S.S. Charleston?
24. ... der U.S.S. Drake?
25. ... der U.S.S. Endeavor?
26. ... der S.S. Milan?

SEKTION 0033

Wer schrieb das Drehbuch zu...
(Untersektion 6)

1. Das Schiff in der Flasche
2. Gefahr aus dem 19. Jahrhundert, Teil 2
3. Ungebetene Gäste
4. Darmok
5. Wiedervereinigung?, Teil 2
6. Die Soliton-Welle
7. Gedächtnisverlust
8. Die alte Enterprise
9. Datas Nachkomme
10. Mutterliebe
11. Der unbekannte Schatten
12. Picard macht Urlaub.
13. Der Sammler

A. Jeri Taylor
B. J. Larry Carroll und David Bennett Carren
C. René Echevarria
D. Brannon Braga
E. Ira Steven Behr
F. Ira Steven Behr, Richard Manning, Hans Beimler und Ronald D. Moore
G. Rene Balcer, Herbert J. Wright und Brannon Braga
H. Joe Menosky
I. René Echevarria
J. Shari Goodhartz
K. Ronald D. Moore
L. Grant Rosenberg
M. Michael Piller

SEKTION 0034

Alle Zeit der Sterne
(Untersektion 7)

1. Déjà Vu	A. 41242,4
2. Der Wächter	B. 41386,4
3. Botschafter Sarek	C. 43917,4
4. Gefährliche Spielsucht	D. 43152,4
5. Die Soliton-Welle	E. 42761,3
6. Die Überlebenden auf Rana-Vier	F. 42477,2
7. Zeitsprung mit Q	G. 41697,9
8. Der Überläufer	H. 41209,2
9. Der stumme Vermittler	I. 41590,5
10. Begegnung mit der Vergangenheit	J. 45652,1
11. Das Duplikat	K. 45376,3
12. Rikers Versuchung	L. 45208,2
13. Gedankengift	M. 43462,5

SEKTION 0035

Wort und Bild

Next Generation ist nicht nur in Fernsehen und Kino zu Hause, auch Bücher und Comics erzählen die Erlebnisse von Picard und Co.

1. Wie hieß der erste *Next Generation*-Roman, der nicht auf einer TV-Episode basierte?
2. Welchen deutschen Titel trägt der Roman, in dem Scotty auf die Enterprise-D zu Besuch kommt?
3. Wer schrieb den Roman zu *Star Trek: Treffen der Generationen*?
4. Welcher deutsche Verlag versuchte sich als erster an einer *Next Generation*-Comicreihe?
5. Wer schrieb den Roman ›Die Epidemie‹?
6. Wer verfaßte den Roman zum TV-Zweiteiler *Angriff auf Borg*?
7. In welchem Roman wird Data vorübergehend ein Mensch?
8. In welchem Roman spielen die Choraii eine Rolle?
9. In welchem *Next Generation*-Roman (nach dem Roman zum Pilotfilm) taucht zum ersten Mal Q auf?
10. ›Planet des Untergangs‹ ist ohne Zweifel ein Gemeinschaftswerk. Welche Autoren war daran beteiligt?
11. Auf welchem Planeten spielt der Roman ›Planet des Untergangs‹?
12. In welchem Roman muß Riker den Wächter der Ewigkeit benutzen, um Deanna Trois Leben zu retten?

13. Vor welcher Lwaxana-Troi-Episode spielt der Roman ›Eine Lektion in Liebe‹?
14. Wen attackieren die Kreel in ›Planet der Waffen‹?
15. Vor welcher Season der Serie Next Generation spielt der Roman ›Planet der Waffen‹?
16. In welchem Roman gibt es ein Wiedersehen mit den Borg?
17. In welchem Roman spielt das aus *Classic* (und später aus *Deep Space Nine*) bekannte Spiegeluniversum eine zentrale Rolle? Wer schrieb den Roman?
18. In welcher *Next Generation*-Staffel spielt der Roman ›Dunkler Spiegel‹?
19. Welcher Planet spielt im Roman ›Die Ehre des Kapitäns‹ eine zentrale Rolle?
20. Wieso dürfte der Name des Captains des Föderationsschiffs Centurion im Roman ›Die Ehre des Kapitäns‹ mehr als nur ein Zufall sein?
21. Nach welcher *Next Generation*-Episode spielt der Roman ›Die Ehre des Kapitäns‹?
22. Wie nennen die Bewohner des als Dante Maxima VII bezeichneten Planeten ihre Welt?
23. Wer schrieb den Roman ›Das verschwundene Juwel‹?
24. Welchen deutschen Titel trug der in den USA als erster *Next Generation*-Hardcover-Roman erschienene Reunion?
25. Wer verfaßte die Romanfassung zum *Next Generation*-Pilotfilm?
26. Wer schrieb den Roman ›Die Jarada‹?
27. Wer schrieb den Roman ›Drachenjäger‹?
28. Vor welcher *Next Generation*-Episode spielt ›Drachenjäger‹?
29. Welches Föderationsschiff sucht die Enterprise in ›Gullivers Flüchtlinge‹? Wie lange wird dieses Schiff vermißt?
30. Auf welchen Planeten stößt die Enterprise in ›Gullivers Flüchtlinge‹?

31. Wer schrieb die Buchfassung des Zweiteilers *Wiedervereinigung*?
32. Wie heißt die Wissenschaftlerein, die in ›Kontamination‹ an Bord der Enterprise ermordet wird?
33. Welchen Planeten fliegt die Enterprise im Roman ›Masken‹ an?
34. Wer verfaßte den Roman ›Masken‹?
35. Welchen beiden Planeten waren in ›Im Exil‹ seit 300 Jahren verfeindet?
36. Auf welchem Planeten herrscht in ›Machthunger‹ eine Hungersnot?
37. Wer zerpflückte in ›Cap'n Beckmessers Führer‹ jede Episode von *Next Generation* bis ins kleinste Detail?
38. Welchen Titel trug das erste in Deutschland veröffentlichte *Next Generation*-Comicabenteuer?
39. Auf dem Weg zu welcher Sternenbasis befindet sich die Enterprise im Comic ›Himmlischer Geist‹?
40. Welchen Planeten erreicht die Enterprise im Comic ›Am Ziel‹?
41. Welcher amerikanische Comic-Verlag versuchte als erster, eine *Next Generation*-Comicserie zu etablieren?
42. Welcher amerikanische Comic-Verlag versuchte als zweiter, eine *Next Generation*-Comicserie zu etablieren, nachdem nach einer sechsteiligen Serie eine rund zwei Jahre währende Pause eingetreten war?
43. Welchen deutschen Titel trug der erste Comic zu *Next Generation*, der nach der sechsteiligen Miniserie erschien?
44. Nach welchem *Next Generation*-Comic (Nr. der Ausgabe, nicht Titel) wechselte die Handlung in die dritte Season hinüber?
45. Unter welchem deutschen Titel erschien der Crossover von *Deep Space Nine* und *Next Generation*?

46. Unter welchem deutschen Titel erschien der *Next Generation*-Vierteiler ›The Modala Imperative‹?
47. Im Comic ›The Noise of Justice‹ wird Picard vorgeworfen, ein Föderationsschiff zerstört zu haben. Welches Schiff ist gemeint?
48. In ›Holiday on Ice‹ machen Riker und LaForge auf einem Planeten Urlaub, der einen sonderbaren Namen trägt. Wie heißt er?
49. In welchem Comic gibt es ein Wiedersehen mit Ardra?
50. In welchem Roman kommt es zu einem Kräftemessen zwischen Q und Trelane?
51. Was war auf den ersten Blick am Filmroman ›Star Trek Generationen‹ so ungewöhnlich?
52. Wer schrieb den Roman zur letzten *Next Generation*-Episode?
53. Welchen Planeten soll die Enterprise im Roman ›Fremde Widersacher‹ anfliegen?
54. ›Die Rückkehr des Despoten‹ ist ein Roman von Simon Hawke. Welchen Geburtsnamen hatte Hawke?
55. Wer schrieb die auf ein jüngeres Publikum zugeschnittene Romanfassung zu *Star Trek: Treffen der Generationen*?

SEKTION 0036

In welcher Episode...
(Untersektion 6)

1. ... bekommt Worf Besuch von seinen Adoptiveltern?
2. ... gibt Beverly Crusher einem ihrer Patienten den Namen John Doe?
3. ... befindet sich Riker in einer sechzehn Jahre entfernten Zukunft?
4. ... verrät ein Romulaner einen Geheimplan, der in Wirklichkeit nicht existiert?
5. ... muß Picard gegen Ardra in einem Gerichtsverfahren antreten?
6. ... stirbt Sarek?
7. ... wird die U.S.S. Bozeman aus einer Zeitschleife befreit, in der sie sich neunzig Jahre befunden hat?
8. ... kann die Enterprise mit der Hilfe einer Tarnvorrichtung einen soliden Asteroiden durchfliegen?
9. ... erschießt Deanna Troi aus Eifersucht Worf?
10. ... begegnet Wesley Crusher der attraktiven Robin Lefler?
11. ... wird eine Geschwindigkeitsbeschränkung für Warpflüge verhängt?

SEKTION 0037

Planeten und ihre Episoden (Untersektion 3)

Nicht nur Planeten, die in der Episode besucht wurden, sondern erwähnt wurden, Ziele, die nicht angeflogen wurden etc.

1. Zalkon	A. Der unmögliche Captain Okona
2. T'lli Beta	B. Ritus des Aufsteigens
3. Vacca II	C. Das fehlende Fragment
4. Volterra-Nebel	D. Die Damen Troi
5. Calder II	E. Die oberste Direktive
6. Straleb	F. Der Schachzug, Teil 1
7. Tagus III	G. Das fehlende Fragment
8. Kesprytt III	H. Das kosmische Band
9. Torona IV	I. Kontakte
10. Penthara IV	J. Wer ist John?
11. Barradas III	K. Gefangen in der Vergangenheit
12. Maranga IV	L. Der große Abschied
13. Xanthras III	M. Der zeitreisende Historiker
14. Sothis III	N. Der Schachzug, Teil 1

SEKTION 0038

Technik und Techniken

Keine Angst, die Ingenieursprüfung ist noch um einiges schlimmer als das, was jetzt kommt.

1. Was ist der Aldabren-Tausch?
2. Welche Waffe setzte Captain Jellico gegen eine in einem Nebel verborgene cardassianische Flotte ein?
3. Was hinterließ die kristalline Entität, wodurch man sie aufspüren konnte?
4. Was konstruierte Data, um die Enterprise von Chroniton-Partikeln zu reinigen, nachdem sie von einem romulanischen Interphasen-Generator kontaminiert worden war?
5. Welche Antriebsart verwenden die Romulaner auf ihren Schiffen?
6. Welchen Nachteil hat die künstliche Quantensingularität, die auf romulanischen Schiffen als Antriebssystem genutzt wird?
7. Wie lautet die Bezeichnung der Starfleet für den romulanischen Warbird der D'Deridex-Klasse?
8. Wer entwickelte die Soliton-Welle, die als neues Antriebssystem für Föderationsschiffe gehandelt wurde?
9. Welche Strahlung führt in ›Neue Intelligenz‹ beinahe zu einer Zerstörung des Warpkerns?
10. Was ist das Tox Uthat?
11. Die Zibalianer berechnen Hohlmaße in Denkir. Wieviel Milliliter entsprechen 100 Denkir?

12. Welche Metallegierung wird für vulkanische Raumschiffe verwendet?
13. Wie hieß die ultimative Waffe, die die Händler von Minos entwickelt hatten?
14. Welches Metall fand sich in den Höhlen auf Melona IV?
15. Wie heißt der Software-Fisch, der auf der Enterprise die Schüler bei ihren Arbeiten am Computer unterstützt?
16. Warum kann Hytritium nicht per Transporter bewegt werden?
17. Was ist Illium 629?
18. Was wollten die Terroristen von der Enterprise entwenden, als die 2369 an der Remmler-Station angedockt hatte?
19. In welcher Einheit werden Subraumstörungen gerechnet?
20. Mit wie vielen Photonentorpedos ist ein Schiff der Galaxy-Klasse üblicherweise ausgestattet?

SEKTION 0039

Wohin im Trek-Universum?

Kennen Sie sich im Trek-Universum aus? Hier können Sie es beweisen!

1. In welcher biomedizinischen Forschungseinrichtung war Dr. Toby Russell im Jahr 2368 tätig?
2. Über welches Projekt sollte Picard die Leitung übernehmen, als er sich bei seinem Bruder auf Urlaub befand?
3. In welchem Café in Paris wollte sich Jean-Luc Picard mit seiner damaligen Freundin Jenice treffen?
4. Auf welcher Werft wurde die Enterprise gebaut?
5. In welchem Hotel logierte Data, während er sich im San Francisco des 19. Jahrhunderts aufhielt?
6. Wie hieß der Jazz-Club, den Riker in ›11001001‹ auf dem Holodeck entstehen ließ?
7. Aus welcher Stadt stammte der Jazz-Club, den Riker in ›11001001‹ auf dem Holodeck entstehen ließ?

SEKTION 0040

Wer schrieb das Drehbuch zu...
(Untersektion 7)

1. Andere Sterne, andere Sitten
2. Klingonenbegegnung
3. Galavorstellung
4. Verdächtigungen
5. Der rechtmäßige Erbe
6. Die schwarze Seele
7. Begegnung mit der Vergangenheit
8. Odan, der Sonderbotschafter
9. Augen in der Dunkelheit
10. Brieffreunde?
11. Die Iconia-Sonden?
12. Mission Farpoint/ Der Mächtige
13. Parallelen?

A. Pamela Douglas und Jeri Taylor
B. Terry Devereaux
C. David Kemper
D. Ronald D. Moore
E. Joseph Stefano und Hannah Louise Shearer
F. D. C. Fontana und Gene Roddenberry
G. Steve Gerber und Beth Woods
H. Brannon Braga
I. Melinda M. Snodgrass
J. Michael Horvat
K. Joe Menosky und Naren Shankar
L. Deborah Dean Davis und Hannah Louise Shearer
M. Richard Manning und Hans Beimler

SEKTION 0041

Alle Zeit der Sterne (Untersektion 8)

1. Die Frau seiner Träume	A. unbekannt
2. Die Schlacht von Maxia	B. 46192,3
3. Eine echte ›Q‹	C. 41294,5
4. Der Feuersturm	D. 44502,7
5. Die geheimnisvolle Kraft	E. 43539,1
6. Die Seuche	F. 41249,3
7. Das Kind	G. 41723,9
8. Brieffreunde	H. 44307,3
9. Noch einmal Q	I. 46461,3
10. Aquiel	J. 43807,4
11. Beweise	K. 42695,3
12. Die letzte Mission	L. 46693,1
13. Der schüchterne Reginald	M. 42073,1

SEKTION 0042

tlhIngan maH! (Untersektion 2)

1. Furcht ist Macht.
2. Narren sterben jung.
3. Er ißt kein Gagh!
4. Die Geschichte wird von Siegern geschrieben.
5. Der Sieger ist immer im Recht.
6. Mißtraue den Yridianern, wenn sie Geschenke bringen.
7. Mißtraue den Ferengi, wenn sie dir Geld zurückgeben.
8. Er könnte sogar auf Rura Penthe Eis verkaufen.
9. Kein Feind ist uninteressant.
10. Ich reise auf dem Fluß des Blutes.
11. Kauf oder stirb.

A. qun qon charghwI’pu″e’.
B. Huch nobHa’bogh verenganpu″e’ yIvoqQo’.
C. rura’ pente’Daq chuch ngevlaH ghaH.
D. ’Iw bIQtIqDaq jIjaH.
E. qanchoHpa’ qoH, Hegh qoH.
F. reH lugh charghwI’.
G. bIje’be’chugh vaj bIHegh.
H. vay’ DaghIjlaHchugh bIHoSghaj.
I. qagh Sopbe’!
J. nobmey qembogh yIrIDnganpu″e’ yIvoqQo’.
K. Dal pagh jagh.

SEKTION 0043

In welcher Episode...
(Untersektion 7)

1. ... erfährt Deanna Troi, daß sie eigentlich kein Einzelkind war?
2. ... findet sich in Datas Bauch ein Telefon?
3. ... entdeckt Barclay im Transporterstrahl Lebensformen?
4. ... war Sheila Franklin als Ensign Felton zu sehen?
5. ... war Jerry Hardin zu sehen?
6. ... spielte Mary Kohnert als Ensign Tess Allenby mit?
7. ... begegnet Data seiner Mutter?
8. ... löscht Barclay alle seine Holodeck-Programme, ausgenommen Programm Nr. 9?
9. ... wird Thomas Riker entdeckt?
10. ... spricht Data mit Sigmund Freud?
11. ... verliert Data sein Gedächtnis?

8. Der schüchterne Reginald
11. Radioaktiv

SEKTION 0044

Wer schrieb das Drehbuch zu...
(Untersektion 8)

1. Das kosmische Band
2. Der Komet
3. Das Pegasus-Projekt
4. Die Raumkatastrophe
5. Das Gesicht des Feindes
6. Die Waffenhändler
7. Die Seuche
8. Die Entscheidung des Admirals
9. Prüfungen
10. Rikers Versuchung
11. Gefahr aus dem 19. Jahrhundert, Teil 1
12. Ich bin Hugh
13. Rikers Vater

A. Ronald D. Moore
B. Naren Shankar
C. Robert Lewin
D. Sandy Fries
E. Joe Menosky und Michael Piller
F. Hilary J. Bader, Alan J. Adler, Vanessa Greene
G. Michael Michaelian und D. C. Fontana
H. David Assael und Robert L. McCullough
I. C. J. Holland und Gene Roddenberry
J. Richard Manning und Hans Beimler
K. Naren Shankar
L. Joe Menosky
M. René Echevarria

SEKTION 0045

Irgendwo im All... (Untersektion 3)

1. Sternenbasis 324
2. Sternenbasis 313
3. Sternenbasis 416
4. Sternenbasis 185
5. Sternenbasis 24
6. Sternenbasis 67
7. Sternenbasis 220
8. Sternenbasis 73
9. Sternenbasis 123
10. Sternenbasis 218
11. Sternenbasis 82
12. Sternenbasis 234
13. Sternenbasis 179
14. Sternenbasis Earhart
15. Sternenbasis Montgomery
16. Sternenbasis 440

A. Gefährliche Spielsucht
B. Gefährliche Spielsucht
C. Die Begegnung im Weltraum
D. Zeitsprung mit Q
E. Geistige Gewalt
F. Das Herz eines Captains
G. Der Kampf um das klingonische Reich II
H. Das zweite Leben
I. Die Sünden des Vaters
J. In den Händen der Borg
K. Der Planet der Klone
L. Der Telepath
M. Der Austauschoffizier
N. Rikers Vater
O. Augen in der Dunkelheit
P. Die ungleichen Brüder

SEKTION 0046

Wie lautet die Registriernummer...
(Untersektion 2)

1. ... der U.S.S. Essex?
2. ... der U.S.S. Excalibur?
3. ... der U.S.S. Fearless?
4. ... der U.S.S. Yamato?
5. ... der U.S.S. Gettysburg?
6. ... der U.S.S. Goddard?
7. ... der U.S.S. Grissom?
8. ... der U.S.S. Hathaway?
9. ... der U.S.S. Hermes?
10. ... der U.S.S. Hood?
11. ... der U.S.S. Horatio?
12. ... der U.S.S. Hornet?
13. ... der U.S.S. Intrepid?
14. ... der U.S.S. Jenolen?
15. ... der U.S.S. Kyushu?
16. ... der U.S.S. Lalo?
17. ... der U.S.S. Lantree?
18. ... der U.S.S. Melbourne?
19. ... der U.S.S. Merrimac?
20. ... der U.S.S. Monitor?
21. ... der U.S.S. Berlin?
22. ... der U.S.S. Phoenix?
23. ... der U.S.S. Potemkin?
24. ... der U.S.S. Renegade?
25. ... der U.S.S. Constantinople?
26. ... der U.S.S. Repulse?

SEKTION 0047

Wer schrieb das Drehbuch zu...
(Untersektion 9)

1. Zeitsprung mit Q	A. Melinda M. Snodgrass
2. Gedankengift	B. Melinda M. Snodgrass
3. Der Planet der Klone	C. Maurice Hurley
4. Phantasie oder Wahrheit	D. Ronald D. Moore und W. Reed Morgan
5. Die Rückkehr von Ro Laren	E. Brannon Braga
6. Der unmoralische Friedensvermittler	F. Harold Apter und Ronald D. Moore
7. Todesangst beim Beamen	G. René Echevarria
8. Der Kampf um das klingonische Reich II	H. Frank Abatemarco
9. Fähnrich Ro	I. Brannon Braga
10. Datas Tag	J. John D. F. Black und J. Michael Bingham
11. Terror auf Rutia-Vier	K. Michael Piller
12. Der Gott der Mintakane	L. Ronald D. Moore
13. Die Sünden des Vaters	M. Richard Manning und Hans Beimler

SEKTION 0048

Alle Zeit der Sterne
(Untersektion 9)

1. Die Rückkehr von Ro Laren
2. Der Austauschoffizier
3. Sherlock Data Holmes
4. Darmok
5. Angriffsziel Erde
6. Die Auflösung
7. Geistige Gewalt
8. Erster Kontakt
9. Eine hoffnungsvolle Romanze
10. Der Moment der Erkenntnis, Teil 2
11. Die Iconia-Sonden
12. Versuchskaninchen
13. Beförderung

A. 43714,1
B. 46579,2
C. 47941,7
D. 42286,3
E. 45429,3
F. 47566,7
G. 42609,1
H. unbekannt
I. 44805,3
J. 45047,2
K. 42506,5
L. 44001,4
M. 45761,3

SEKTION 0049

Dreierlei (Untersektion 2)

1. B'Etor	A. Beth Toussaint	a. Die Rückkehr von Ro Laren
2. Ishara Yar	B. Marco Rodriguez	b. Das fehlende Fragment
3. Dr. Ira Graves	C. Norman Lloyd	c. Die Waffenhändler
4. Captain Paul Rice	D. Susan Gibney	d. Der Komet
5. Doctor Christopher	E. Shannon Cochran	e. Gestern, heute, morgen
6. Prof. Richard Galen	F. Stephanie Beacham	f. Star Trek: Treffen der Generationen
7. Captain John Harriman	G. Alan Ruck	g. Die Energiefalle
8. Dr. Leah Brahms	H. Gwynyth Walsh	h. Die Rettungsoperation
9. Felisa Howard	I. William Morgan Sheppard	i. Das fremde Gedächtnis
10. Eric Burton	J. Ellen Albertini Dow	j. Der Kampf um das klingonische Reich I
11. Kalita	K. Alison Brooks	k. Verdächtigungen
12. Nell Chilton	L. John S. Ragin	l. Ronin
13. Countess Regina Bartholomew	M. Rickey D'Shon Collins	m. Das Schiff in der Flasche

SEKTION 0050

In welcher Episode... (Untersektion 8)

1. ...ergreift ein Wesen aus einer Wolke von Picard Besitz?
2. ...wird Beverly Crusher von einem Geist heimgesucht?
3. ...betreut Lwaxana Troi die Cairn?
4. ...unterhält sich Geordi LaForge mit seinem Vater?
5. ...versucht Etana Jol, die Föderation unter ihre Kontrolle zu bringen?
6. ...verliebt sich Riker in Soren?
7. ...befindet sich die Enterprise in einer Zeitschleife?
8. ...kommt es zum Kontakt mit den Cytherianern?
9. ...sind LaForge und Bochra auf einem Planeten gestrandet?
10. ...wird K'Ehleyr getötet?
11. ...wird Data zum Bestandteil einer Kunstsammlung gemacht?

SEKTION 0051

Raumschiffklassen (Untersektion 3)

1. U.S.S. Bozeman
2. U.S.S. Stargazer
3. U.S.S. Hathaway
4. U.S.S. Hermes
5. U.S.S. Thomas Paine
6. U.S.S. Essex
7. U.S.S. Goddard
8. U.S.S. Intrepid
9. U.S.S. Mariposa
10. U.S.S. Melbourne
11. U.S.S. Excalibur
12. U.S.S. Monitor
13. U.S.S. Kyushu

A. Excelsior-Klasse
B. Constellation-Klasse
C. New Orleans-Klasse
D. New Orleans-Klasse
E. Ambassador-Klasse
F. Korolev-Klasse
G. Antares-Klasse
H. Soyuz-Klasse
I. Constellation-Klasse
J. DY-500-Klasse
K. Nebula-Klasse
L. Excelsior-Klasse
M. Daedalus-Klasse

SEKTION 0052

Unser Mann im Hintergrund

Ohne Gene Roddenberry hätte es nie *Star Trek* und damit auch nie die *Next Generation* gegeben. Was wissen Sie über ihn?

1. Wann wurde Gene Roddenberry geboren?
2. Wo wurde Gene Roddenberry geboren?
3. Wann starb Gene Roddenberry?
4. Mit wem war Gene Roddenberry in erster Ehe verheiratet?
5. Wie heißt Gene Roddenberry mit vollem Namen?
6. In welchem Jahr verkaufte Gene Roddenberry sein erstes Manuskript für eine Fernsehserie? Wie hieß die Serie?
7. Wie hieß Roddenberrys erste eigene Fernsehserie, die allerdings über den Pilotfilm nicht hinauskam?
8. Mit welcher eigenen Fernsehserie hatte Gene Roddenberry einen ersten Erfolg?
9. Wie hieß die geplante Roddenberry-Serie um einen Androiden, die über den Pilotfilm nicht hinauskam, die aber viel von Data vorwegnahm?

SEKTION 0053

Alle Zeit der Sterne (Untersektion 10)

1. Das Schiff in der Flasche	A. 44995,3
2. Gedächtnisverlust	B. 46357,4
3. Der unbekannte Schatten	C. 46778,1
4. Kontakte	D. 41463,9
5. Der Kampf um das klingonische Reich I	E. 46424,1
6. Gefahr aus dem 19. Jahrhundert, Teil 2	F. 44664,5
7. Geheime Mission auf Seltris, Teil 1	G. 47988
8. Der Komet	H. 47615,2
9. Gestern, heute, morgen	I. 47304,2
10. Phantasie oder Wahrheit	J. 44286,5
11. Ein Planet wehrt sich	K. 44474,5
12. Der unmoralische Friedensvermittler	L. 46001,3
13. Der Pakt mit dem Teufel	M. 46071,6

SEKTION 0054

Planeten, Systeme und andere Orte (Untersektion 2)

1. In welchem Gürtel befindet sich der Planet Tau Cygna V?
2. Von welchem Planeten stammt Nellen Tore?
3. Auf welchem Planeten wurde 2209 zum ersten Transporterpsychose diagnostiziert?
4. In welchem System befinden sich die Planeten Ornara und Brekka?
5. In welchem System befand sich der letzte Außenposten des vor langer Zeit zerfallenen Tkon-Imperiums?
6. Auf welchem Planeten befand sich eine Föderationskolonie, die von den Husnock zerstört wurde?
7. Wie viele Monde hat Delta Rana IV?
8. In welchem Quadranten befindet sich der Denkiri-Arm?
9. Von welchem Planeten stammte Dirgo?
10. Welchen Planeten flog die Enterprise an, als sie 2368 zur Sternenbasis 234 gerufen wurde?
11. Welchen Namen gab sich der einzige auf Delta Rana IV lebende Douwd?
12. Auf welchem Planeten in der Nähe des Kaleb-Sektors befand sich eine Starfleet-Basis?
13. Von welchem Planeten stammt das alkoholische Getränk Dresci?
14. Von welchem Planeten kam der Notruf einer Föderationskolonie, während sich die Enterprise im Orbit um Galorndon Core befand?

15. Auf welchem Planeten kam es zu einem heimlichen Zusammentreffen zwischen Picard und Captain Walker Keel?
16. In welchem Sternensystem sollte auf Wunsch des Gottes von Edo eine Föderationskolonie aufgelöst werden?
17. Von welchem Planeten stammt Captain Edwell?
18. Welches Ziel hatte die Enterprise nach der Mission auf Tanuga IV?
19. In welchem System wurde die Enterprise von einer satarranischen Sonde angegriffen?
20. Welchen Planeten flog die Enterprise nach der Begegnung mit einem instabilen Wurmloch im Ngame-Nebel an?
21. Auf welchem Planeten setzte Dr. Farallon die Exocomps ein?
22. Auf welchem Planeten geriet Riker in Gefangenschaft, als Beverly Crusher ihr Theaterstück *Frame of Mind* inszenierte?
23. Auf welchem Planeten befindet sich die landschaftliche Sehenswürdigkeit Gal Gath'thong?
24. In welche Galaxis wurde die Enterprise durch den Reisenden geschleudert?
25. Welchen Nebel untersuchte die Enterprise 2366 nach der Konferenz über Handelsabkommen auf Betazed?
26. In wessen Hoheitsgebiet befindet sich das System Gamma Eridon?
27. Welches System flog die Enterprise auf einer diplomatischen Mission an, nachdem sie 2368 mit einem romulanischen Forschungsschiff zusammengetroffen war?
28. Auf welchem Planeten kamen acht Besatzungsmitglieder der U.S.S. Wellington ums Leben, als Ensign Ro einen Befehl mißachtete?
29. Wie lautet der malcorianische Name für ein Sonnensystem in der Nähe des Planeten Malcor III?
30. Auf welchem Planeten vermittelte Picard erfolgreich in

einem Handelskrieg zwischen den Gemarianern und den Dachlyds?

31. Auf welchem Planeten findet man das in Herden lebende Gettle?
32. Wie nannte Dr. Ira Graves den Planeten, auf dem er die letzten Jahre seines Lebens verbrachte?
33. Auf welchem Planeten wurden nach dem Besuch von zwei Ullianern das Iresine-Syndrom festgestellt?
34. Auf welchem Planeten ließ sich Devinoni Ral im Alter von 19 Jahren nieder?
35. Zwischen welchen Planeten befindet sich die Idini-Sterngruppe?
36. In welchem Sektor befand sich der Doppelstern, den die U.S.S. Yosemite 2369 untersuchte?
37. Wo lebte die Lebensform, die sich auf der Enterprise als Clara Sutters imaginäre Freundin zeigte?
38. Auf welchem Planeten starb Admiral Jameson?
39. Von welchem Planeten stammen die Jarada?
40. Auf welchem Planeten war Ensign Ro Laren nach dem Zwischenfall auf der U.S.S. Wellington inhaftiert?
41. Auf welchem Planeten befand sich die Kolonie New Providence?
42. Auf welchem Planeten lebte Dr. Dalen Quaice?
43. Auf dem Weg zu welchem Planeten war die Enterprise, als sie Dr. Dalen Quaice 2367 auf dessen Heimatwelt absetzen sollte?
44. Von welchem Planeten stammten Minister Campio und Erko?
45. Auf welchem Planeten kann man einen kryonianischen Tiger finden?
46. Auf welchem Planeten lebte Lanel?
47. Zu welchem Planeten gehört der Mond Lambda Paz?
48. In welchen Sektor begab sich die U.S.S. Ghandi für einen Terraforming-Auftrag?

49. Auf welchem Planeten führte Dr. Mowray 2369 archäologische Untersuchungen durch?
50. Auf welchem Planeten untersuchte Dr. Langford 2369 Ruinen einer untergegangenen Zivilisation?
51. Aus welchem System kam die Enterprise, als sie den Auftrag erhielt, Riva an Bord zu nehmen?
52. Auf welchem Planeten findet man den See Lusor?
53. Von welcher Planetenkolonie stammten die Überlebenden, die die Enterprise zur Lya Station Alpha transportierte?
54. Auf welchem Planeten wurde Rivas Chor getötet?
55. In welchem System befanden sich die Planeten Altec und Straleb?
56. Auf welchem Planeten arbeitete Arthur Malencon an einem Terraforming-Projekt mit?
57. Von welchem Planeten stammen die Ooolaner?
58. Wo befindet sich der McKinley Park?
59. Auf welchem Planeten war Barash angeblich von Romulanern gefangengenommen worden?
60. Auf dem Weg in welchen Sektor war die Enterprise, nachdem sie von der Forschungsstation Tango Sierra abgereist war?
61. Auf welchem Planeten findet man die Mortania-Region?
62. Welchen Planeten hatte die Enterprise gerade verlassen, als sie von zwei Quantenfäden getroffen wurde?
63. Auf welchem Planeten findet man die Muktok-Pflanze?
64. Auf dem Weg in welches Gebiet war die Enterprise, als sie in die Gewalt von Nagilum geriet?
65. Auf welchem Planeten soll sich das sagenumwobene Land Neinman befinden?
66. Auf welchem Planeten findet sich die Stadt New Manhattan?
67. Auf welchem Planeten findet sich die Stadt New Seattle?

68. Der wie vielte Planet im Delos-System ist Ornara?
69. Auf welchem Planeten gibt es die Delikatesse Oskoid?
70. Auf welchem Planeten hatte sich Admiral Jameson zur Ruhe gesetzt?
71. Auf welchem Planeten befindet sich die Stadt Rateg?
72. Aus welchem Sektor empfing die Enterprise 2365 den Notruf eines Pakled-Schiffs?
73. In welchem System befand sich die Forschungsstation 402?
74. Welches Ziel hatte die U.S.S. Lalo, als sie 2366 von einem Borg-Schiff angegriffen wurde?
75. Welches Ziel hatte das Kolonistenschiff Artemis, als es 2274 startete?
76. Auf welchem Planeten befindet sich die Parallax-Kolonie?
77. Im Orbit um welchen Planeten befand sich die Sternenbasis 74?
78. Welches Ziel hatte die Enterprise nach der Mission auf Bre'el IV?
79. Auf welchem Planeten sind gekochte Taspar-Eier eine Delikatesse?
80. Von welchem Planeten stammt der Reisende?
81. Auf welchem Planeten lebte Temarek?
82. In welchem Sektor befindet sich der Planet Vagra II?
83. Wo wurde Tasha Yar geboren?
84. Wo wurde Ishara Yar geboren?
85. Auf welchem Planeten wurde die Schlacht von Zambrano ausgetragen?
86. Welches Ziel gibt der Yridianer Yranac an, das die mutmaßlichen Mörder von Picard anfliegen?
87. Von welchem Planeten kommen Rabal und Serova?
88. Admiral Mark Jameson verwendete eine Droge, die ihn verjüngte. Von welchem Planeten stammte die Droge?

89. Welchen Kurs nahm die U.S.S. Charleston nach ihrem Rendezvous mit der Enterprise?
90. Wohin flohen Noonien Soong und seine Frau Juliana, als sie Omicron Theta verließen?
91. Von welchem Planeten stammt Ensign Taurik?
92. Von welchem Planeten stammt Ensign Sito Jaxa?
93. Auf welchem Planeten wurde Miranda Vigo geboren?
94. In welchem Sektor befindet sich Sternenbasis 515?
95. In welchem System wurde die U.S.S. Denver 2368 von einer Schwerkraftmine schwer beschädigt?
96. Durch welches Bündnis wurden die Planeten Altec und Straleb verbunden?
97. Welches Ziel hatte die U.S.S. Denver, als sie 2368 von einer Gravitationsmine getroffen wurde?

SEKTION 0055

In welcher Episode... (Untersektion 9)

1. ... wird gegen Riker wegen eines Mordverdachts ermittelt?
2. ... läßt sich Deanna Troi von Devinoni Ral verführen?
3. ... ist Lieutenant Wesley Crusher Besatzungsmitglied der Enterprise?
4. ... sieht Picard seine Mutter?
5. ... wird Dr. Pulaski von Professor Moriarty als Geisel genommen?
6. ... wird Picard für einen Gott gehalten?
7. ... nach Die schwarze Seele war Denise Crosby wieder als Tasha Yar zu sehen?
8. ... spielte Majel Barrett die Rolle der Lwaxana Troi?
9. ... spielte Vinny Argiro einen Killer?
10. ... war Jean-Luc Picards Bruder zu sehen?
11. ... hatte Keiko O'Brien ihren ersten Auftritt?

2 Der Barzanhandel
1. Riker unter verdacht
6. Besuch von der alten Enterprise
8. Die Damen Troi
9. Yuta, die letzte ihres Clans

SEKTION 0056

Planeten und ihre Episode (Untersektion 4)

1. Tessen III
2. Tethys III
3. Thalos VII
4. Thelka IV
5. Caldos
6. Ogus II
7. Nahmi IV
8. Loren III
9. Styris IV
10. Pentarus III
11. Brentalia
12. Krios
13. Brekka
14. Legara IV

A. Der Feuersturm
B. Der schüchterne Reginald
C. Die letzte Mission
D. Verräterische Signale
E. Botschafter Sarek
F. Hochzeit mit Hindernissen
G. Die Thronfolgerin
H. Ronin
I. Die ungleichen Brüder
J. Das fehlende Fragment
K. Der Ehrenkodex
L. Die imaginäre Freundin
M. Beweise
N. Die Seuche

SEKTION 0057

Getränke und Speisen

Wählen Sie aus dem reichhaltigen Angebot aus. Alle Speisen natürlich auch zum Mitnehmen.

1. In ›Besuch von der alten Enterprise‹ serviert Data Scotty ein alkoholisches Getränk, das er scheinbar nicht kennt. Wie beschreibt er es? Um welches Getränk handelt es sich tatsächlich?
2. Welches Getränk wird in ›Eine hoffnungsvolle Romanze‹ den harodianischen Miners in Ten-Forward serviert?
3. Welches Getränk bietet Admiral Aaron Picard an, als der sich im Starfleet-Hauptquartier befindet?
4. Während sie sich in der Gewalt des Ferengi DaiMon Tog befand, bot Lwaxana Troi ihm an, ein anregendes Getränk zuzubereiten. wie hieß es?
5. Welches Getränk bevorzugte der Föderationsbotschafter Odan?
6. Was war für Wesley Crusher die ›wohl beste Sache im Universum‹, die er Jono beschrieb?
7. Welches ist das Lieblingsgetränk von Lieutenant Jenna D'Sora?
8. Mit welchem Öl ist Earl Grey-Tee aromatisiert?
9. Welche besondere Zutat gehört zu Thalianischem Schokoladenmousse?
10. Welches Gericht bereitete Lwaxana Troi für Dr. Timicin zu?
11. Welches Getränk vermißte Perrin am meisten, seit sie mit Sarek auf Vulkan lebte?

12. Welche besondere Delikatesse konnte Riker auf Sternenbasis 73 im Empfang nehmen?
13. Welches Getränk für Kinder empfahl Guinan in ›Die imaginäre Freundin‹?
14. Was ist Tamarian Frost?
15. Welches einem Capuccino ähnliche Getränk bevorzugt Dr. Crusher?

SEKTION 0058

Alle Zeit der Sterne (Untersektion 11)

1.	Yuta, die letzte ihres Clans	A.	41503,7
2.	Worfs Brüder	B.	45832,1
3.	Hotel Royale	C.	43421,9
4.	Traumanalyse	D.	46852,2
5.	Parallelen	E.	42901,3
6.	Boks Vergeltung	F.	45092,4
7.	Der rechtmäßige Erbe	G.	47225,7
8.	Die Waffenhändler	H.	47391,2
9.	Klingonenbegegnung	I.	44246,3
10.	Tödliche Nachfolge	J.	47829,1
11.	Die Energiefalle	K.	42625,4
12.	So nah und doch so fern	L.	43205,6
13.	Die imaginäre Freundin	M.	41798,2

SEKTION 0059

Fragen Sie Ihren Arzt oder Apotheker

Nein, nein, im 24. Jahrhunderten sind noch längst nicht alle Krankheiten ausgemerzt. Aber die Medizin kann fast alles heilen.

1. An welcher Krankheit litt Crewmitglied Henessey in ›Die Thronfolgerin‹?
2. Was injiziert Dr. Crusher Barclay, um seine urodelianische Grippe zu bekämpfen?
3. Mit welchem Medikament wurde die Besatzung der Enterprise behandelt, nachdem ein strahlenverseuchtes Schiff im Schlepptau das Strahlungsniveau der Enterprise rapide hatte ansteigen lassen?
4. Welches Mittel verabreichte Dr. Crusher, um den Zustand des Zalkoniers John Doe zu stabilisieren?
5. Wie wird Inaprovalin üblicherweise verabreicht?
6. An welcher Krankheit starb Jeremy Asters Vater 2361?
7. Welches psychische Krankheitsbild vermutete Dr. Crusher bei Jeremiah Rossa als Folge seines Aufenthalts bei den Talarianern?
8. Woran leidet Jason Vigo?
9. An was glaubt Barclay in ›Genesis‹ zu leiden?
10. An was leidet Barclay in ›Genesis‹ wirklich?

SEKTION 0060

In welcher Episode... (Untersektion 10)

1. ... kam Molly O'Brien zur Welt?
2. ... erhielt Alyssa Ogawa ihren Vornamen?
3. ... wird Riker als ›schwarzes Schaf‹ der Starfleet bezeichnet?
4. ... spielen Keystone City und Vertiform City eine Rolle?
5. ... war Guinan zum ersten Mal zu sehen?
6. ... wird Jouret IV erwähnt?
7. ... wirkte Stephen James Carver mit?
8. ... beanspruchen die Sheliak den Planeten Tau Cygna V für sich?
9. ... kommt ein Stratege der Zakdorn auf die Enterprise?
10. ... versucht eine Holodeck-Figur, Riker und Picard davon abzuhalten, das Holodeck zu verlassen?
11. ... gerät die Enterprise-Crew unter den Einfluß eines mutierten Psi-2000-Virus?

SEKTION 0061

Raumschiffklassen (Untersektion 4)

1. U.S.S. Lantree
2. U.S.S. Hood
3. U.S.S. Lalo
4. S.S. Mariposa
5. U.S.S. Endeavor
6. U.S.S. Yamato
7. U.S.S. Constantinople
8. U.S.S. Merrimac
9. U.S.S. Wellington
10. U.S.S. Tolstoy
11. das cardassianische Kriegsschiff Trager
12. U.S.S. Victory
13. U.S.S. Trieste

A. Istanbul-Klasse
B. Mediterranea-Klasse
C. Nebula-Klasse
D. Niagara-Klasse
E. Constellation-Klasse
F. Miranda-Klasse
G. Excelsior-Klasse
H. Galaxy-Klasse
I. Nebula-Klasse
J. Galor-Klasse
K. Rigel-Klasse
L. Merced-Klasse
M. DY-500

SEKTION 0062

Rollen-Spiele (Untersektion 2)

1. Welchen Namen gab Beverly Crusher dem Zalkonianer, der 2366 von der Enterprise in einer Rettungskapsel entdeckt worden war?
2. Wer hatte das Kommando über die U.S.S. Drake, als sie 2364 zerstört wurde?
3. Mit wem hatte sich Wesley Crusher an dem Abend verabredet, an dem zu Ehren von Botschafter Sarek ein Konzert gegeben wurde?
4. Wessen Experiment war die Ursache dafür, daß Beverly Crusher in einer ständig kleiner werdenden Warpblase gefangen war?
5. Wie hoch ist Qs IQ?
6. Welchen Namen gab Endar dem jungen Jeremiah Rosso?
7. Wie alt war Jono, als seine Eltern starben?
8. Wer war der Captain des Frachtschiffs Erstwhile?
9. Wer war der letzte Captain der U.S.S. Essex?
10. Wer war im Jahr 2167 Befehlshaber des Sektors, in dem sich die Sternenbasis 12 befand?
11. Wer war während der Blockade romulanischer Schiffe im klingonischen Bürgerkrieg Captain der U.S.S. Excalibur?
12. Wie hieß die Assistentin von Kivas Fajo, die durch ihn zu Tode kam?
13. Wen brachte die U.S.S. Fearless 2364 zur Enterprise?
14. Wie hießen die beiden Ferengi, die erfahren mußten, daß das Wurmloch der Barzaner instabil war?

15. Wer tötete Kyril Finn?
16. Welcher Vorfahr von Jean-Luc Picard war 1690 an einem Massaker an Indianern beteiligt?
17. Wer überlebte letztlich den Absturz der Jenolen nicht?
18. Wer überwachte die Gesamtmontage der Enterprise-D?
19. Wie hieß der Captain der Cleponji?
20. Wer war vor seiner Beförderung zum Admiral Captain der U.S.S. Gettysburg?
21. Wer war Miss Gladstone?
22. Wer war Captain der U.S.S. Zhukov, als Barclay von dort auf die Enterprise versetzt wurde?
23. Wer war Captain der U.S.S. Bozeman?
24. In welcher Episode war Lursa zum ersten Mal zu sehen?
25. In wie vielen und welchen Episoden war Duras zu sehen?
26. Welchen Rollennamen hatte Guinan, als sie an einem Holodeckausflug teilnahm, der sie in die Welt von Dixon Hill führte?
27. Wer war 2366 Leiter der Kolonie auf Tau Cygna V?
28. Wer übermittelte Picard den Befehl, das klingonische Schläferschiff T'Ong abzufangen?
29. Wer war der einzige Überlebende der U.S.S. Brattain, als die Enterprise das Schiff erreichte?
30. Wer war 2368 Navigator der unglückseligen Nova-Staffel?
31. Wer war Captain der Enterprise, nachdem Q Picard die Möglichkeit gewährt hatte, Fehler in seiner Jugend zu vermeiden?
32. Wer war 2364 Botschafter der Föderation auf Mordan IV?
33. Wer war 2369 Befehlshaber der Arkaria-Basis?
34. Wer bediente die Transporterkontrollen, als ein Landeteam den Jungen Timothy rettete?
35. Wer konnte der Enterprise dringend benötigtes Hytritium liefern?

36. Wer waren die Mitglieder der ullianischen Delegation, die 2368 die Enterprise besuchte?
37. Tarmin ist der Vater von...?
38. Unter welcher Identität befand sich William Riker auf Malcor III?
39. Wer tötete Jo'Bril?
40. Wer war Commander der Pagh und Vorgesetzter von Riker?
41. Wer war erster Offizier unter DaiMon Bok, als der Picard die Stargazer zurückgab?
42. Wie hießen die Schwestern des Horatio-Commanders Walker Keel?
43. Wer führte die Terroristengruppe an, die 2369 in die an der Remmler-Station angedockte Enterprise eindrang?
44. Wer kommandierte den romulanischen Warbird Khazara?
45. Wessen Blut befindet sich angeblich auf dem Messer von Kirom?
46. Woraus wurde der Klon von Kahless dem Unvergeßlichen geschaffen?
47. War der wiederauferstandene Kahless faktisch dieselbe Person wie der legendäre Kahless?
48. Wer war tatsächlich für den scheinbaren Erfolg des Warpantriebsspezialisten Kosinski verantwortlich?
49. Wer leitete die Untersuchung, als Riker unter dem Verdacht stand, Dr. Nel Apgar ermordet zu haben?
50. Wer programmierte die Simulation des Tempels von Akadar auf dem Holodeck?
51. Wie hieß der Captain des klingonischen Schiffs T'Ong?
52. Wen entführte Soran vom Amargosa-Observatorium?
53. Was unterscheidet Soran von Guinan hinsichtlich ihres Namens?
54. Wer war 2365 Commander der U.S.S. Lantree?
55. Wie hieß der Vertreter des Beta-Mondes des Planeten

Peliar Zel, der an Verhandlungen mit dem Alpha-Mond teilnahm?

56. Wie hieß der Anführer der abtrünnigen Ferengi, die 2369 die Enterprise unter ihre Kontrolle brachten?
57. Wer sprach sich 2341 als einziger dagegen aus, Data zur Starfleet Academy zuzulassen?
58. Welche Rolle spielte Vash in Qs Robin-Hood-Variation?
59. Wer befehligte in ›Das fehlende Fragment‹ das klingonische Schiff?
60. Auf wessen ›Echo‹ trifft Picard im Nexus?
61. Wer war befehlshabender Offizier der U.S.S. Mariposa, als sie von der Erde startete?
62. Wie wurde Raymond Marr von seiner Familie genannt?
63. Wie hieß Aquiel Uhnaris Hund?
64. Welches Mitglied der Enterprise-Besatzung sollte Melian unterrichten?
65. Wie oft war Minuet zu sehen?
66. Wer waren die drei anderen Teilnehmer bei der Prüfung zur Starfleet Academy, bei der Wesley Crusher nur knapp unterlag?
67. Wer war der Captain des Föderationsschiffs Magellan?
68. Wer hatte nach der ersten Kollision mit zwei Quantenfäden zunächst das Kommando über die schwer beschädigte Enterprise?
69. Wer gab in ›In der Hand von Terroristen‹ vor, Mr. Mot zu sein?
70. Mit wem wollte Picard auf Landris II in ›Der Feuersturm‹ Kontakt aufnehmen, wurde aber durch einen Zusammenbruch des Kommunikationssystem gehindert, das in der Stellaren Kartographie ausgelöst worden war?
71. Wer war 2167 Erster Offizier der U.S.S. Essex?
72. Wer war 2327 Commander der U.S.S. Ajax?
73. Wer war der Begründer der neo-transzendentalistischen Bewegung auf der Erde des 22. Jahrhunderts?

74. Wer führte das Rettungsteam an, das die Mitarbeiter der Forschungsstation auf Nervala IV evakuieren sollte?
75. Wie heiß 2368 Wesley Crushers Anthropologie-Lehrer auf der Starfleet Academy?
76. Wer ist ›der Eine‹?
77. Wen bezeichnete Aquiel Uhnari als Oumriel?
78. Wer hatte Senator Pardek Vergünstigungen zugesichert, was ihn dazu veranlaßte, Spock, Picard und Data zu verraten?
79. Von wem wurde Penthor-Mul ermordet?
80. Wer nahm den Platz der ermordeten Major Rakal ein?
81. Wie hieß die junge Frau, die als letzte auf dem Planeten Aldea geboren wurde?
82. Wer war in ›Die Schlacht von Maxia‹ Zweiter Offizier unter DaiMon Bok?
83. Wer war Commander der U.S.S. Repulse, als Dr. Pulaski 2365 von diesem Schiff auf die Enterprise wechselte?
84. Was war an Ensign Stefan DeSeve so besonders?
85. Wer erhielt das Kommando über die U.S.S. Drake, nachdem Riker diese Beförderung ausgeschlagen hatte?
86. Wer war der Verfasser des Romans *Hotel Royale*?
87. Wer war Sareks persönlicher Assistent während der legaranischen Konferenz im Jahr 2366?
88. Für wen gab sich Admiral Jarok aus, als er 2366 zur Föderation überlief?
89. Wer arbeitete mit Mr. Mot in ›In den Subraum entführt‹ in dessen Friseursalon?
90. Welchen Beruf übt Katik Shaw auf Rutia IV aus?
91. Wer leitete auf Rutia IV eine Nachricht von William Riker an Kyril Finn weiter?
92. Wer spielte den Führer der Sheliak-Gruppe, die die Kolonisten auf Tau Cygna IV aufforderte, den Planeten zu verlassen?

93. Wer war Captain der Shiku Maru, der es nicht schaffte, mit den Tamarianern eine Verständigung aufzubauen?
94. In wen verliebte sich J'naii?
95. Wer diente 2364 unter Commander Tebok?
96. Wie nannte sich Tin Man selbst?
97. Wer war 2369 klingonischer Grenzbeauftragter im Sektor 2520?
98. Wer war Dr. Samuel Estragons Assistentin?
99. Wer war 2367 Commander des cardassianischen Kriegsschiffs Trager?
100. Bei wem studierte Reginald Barclay Transporter-Theorie?
101. Wer war der einzige Überlebende der S.S. Vico?
102. Wer war 2355 unter Captain Picard Waffenoffizier der U.S.S. Stargazer?
103. Wer war der Commander des letzten tarellianischen Schiffs?
104. Wer war Vorgänger von Mr. Homn?
105. Als Picard mit Voval nach Iyaar fliegt, welche beiden Iyaaraner bleiben in der Zwischenzeit auf der Enterprise zurück?
106. Wer kümmert sich nach dem Absturz des iyaaranischen Shuttles um den verletzten Picard?
107. Von wem erfährt Riker in ›Der Schachzug, Teil 1‹, daß Picard getötet worden sein soll?
108. Unter welchem Namen befindet sich Picard auf Barans Schiff?
109. Wie heißt der Klingone, von dem Baran ein antikes Artefakt in Empfang nehmen will?
110. Wie heißt der Ferengi-Captain in ›Die Raumkatastrophe‹?
111. Wie heißt der Commander des romulanischen Schiffs, das in ›Das Pegasus-Projekt‹ nach der U.S.S. Pegasus sucht?

112. Wie hieß der Gouverneur des Planeten Caldos?
113. In wen verliebte sich Ronin zuerst?
114. Wie hießen die vier Kadetten, die in ›Beförderungen‹ auf eine ebensolche hofften?
115. Mit wem wird Sito Jaxa auf eine Mission in cardassianisches Territorium geschickt?
116. Auf wen trifft Data auf dem Planeten Barkon IV zuerst?
117. Welchen Namen erhält Data von Gia?
118. Welcher Barkonier tötet Data?
119. Welchen Beruf übte der Barkonier Skoran aus?
120. Welche Rolle nimmt Picard in ›Der Komet‹ an?
121. Wer begeht in ›Der Fall ‚Utopia Planitia'‹ Selbstmord?
122. Wer gibt sich in ›Genesis‹ auf die Suche nach einem abhanden gekommenen Torpedo?

SEKTION 0063

Wer schrieb das Drehbuch zu...
(Untersektion 10)

1. In den Händen der Borg
2. Die Rettungsoperation
3. Die Macht der Naniten
4. Kraft der Träume
5. Der Pakt mit dem Teufel
6. Beweise
7. Verbotene Liebe
8. Die imaginäre Freundin
9. Eine Handvoll Datas
10. Botschafter Sarek
11. Erwachsene Kinder
12. Gestern, heute, morgen
13. Ritus des Aufsteigens
14. Der unmögliche Captain Okona

A. Jeri Taylor
B. Michael Piller
C. Robert Hewitt Wolfe und Brannon Braga
D. Allison Hock
E. René Echevarria
F. Michael Piller
G. Maurice Hurley, Richard Manning und Hans Beimler
H. Bruce D. Arthurs und Joe Menosky
I. Edithe Swenson und Brannon Braga
J. Burton Armus
K. Brannon Braga und Ronald D. Moore
L. Joe Menosky
M. Philip Lazebnick
N. Peter S. Beagle

SEKTION 0064

Planeten und ihre Episoden (Untersektion 5)

1. Alpha Onias III.
2. Mizar II
3. Nasreldine
4. Zadar IV
5. Ohniaka III
6. Rousseau V
7. Ruah IV
8. Sarthong V
9. Barkon IV
10. Dorvan V
11. Camor V
12. Pentarus V
13. Cor Caroli V
14. Qualor II

A. Am Ende der Reise
B. Radioaktiv
C. Die Thronfolgerin
D. Angriff auf Borg, Teil 1
E. Gedächtnisverlust
F. Versuchskaninchen
G. Wiedervereinigung?, Teil 1
H. Versuchskaninchen
I. Das fehlende Fragment
J. Picard macht Urlaub
K. Rikers Vater
L. Die Sorge der Aldeaner
M. Die letzte Mission
N. Boks Vergeltung

SEKTION 0065

Die lieben Verwandten

Man kann sie sich nicht aussuchen. Aber auf die wenigsten von ihnen kann die Next Generation verzichten.

1. Wie heißt die Verwandte, von der Picard verschiedene Hausmittel mit auf den Weg bekam?
2. Wie heißt Worfs Bruder?
3. In welchem Jahr wurde Worfs Bruder Kurn geboren?
4. Wer ist der Vater von Gowron?
5. Wie hieß Keiko O'Briens Vater?
6. Wie hieß Miles O'Briens Vater?
7. Wie alt war Kurn, als seine Familie nach Khitomer zog?
8. Von wem wurde Kurn aufgezogen?
9. Wie lautet der Vorname von Sulus Tochter?
10. Wie heißt Geordi LaForges Mutter?
11. Wie hieß Dr. Kila Marrs einziger Sohn?
12. Wie hieß die Schwester von Lieutenant Aquiel Uhnari?
13. In welchem See ertrank Deanna Trois Schwester Kestra?
14. Mit wem war Juliana Tainer verheiratet?
15. Wie hieß Beverly Crushers Großmutter?
16. Wie hieß die Frau, deren Sohn Jason angeblich auch Picards Sohn war?
17. Wer war K'mtar wirklich?
18. Wie heißt der Mann von Mauna Apgar?
19. Wie heißt Worfs leiblicher Vater?
20. Worfs Bruder Kurn wußte lange Zeit nicht, daß er ein Sohn von Mogh war. Wen hielt er für seinen Vater?

21. Wer war Lehrer in der Klasse, die Datas Tochter Lal 2366 kurzzeitig besuchte?
22. Wer versteckte Barash in den Höhlen auf Alpha Onias III?
23. Wer war Termin?
24. Wer war der Großvater von Kamie?
25. In welcher japanischen Stadt lebte Keiko O'Briens Mutter?
26. Wann wurde Molly O'Brien geboren?
27. Wo genau wurde Molly O'Brien geboren?
28. Wie nannte Keiko O'Brien ihre Großmutter?
29. Wie hätten die O'Briens ihr erstes Kind genannt, wäre es ein Junge gewesen?
30. Wie hieß Brenna Odells Vater?
31. Wie hießen Jean-Luc Picards Eltern?
32. Welche Beruf hatte Jean-Luc Picards Vater?
33. Wie lauten die Vornamen der Potts-Brüder?
34. Wie hieß die Ehefrau von Dr. Dalen Quaice?
35. Wie hieß der Ehemann von Claire Raymond?
36. Welchen Namen hatte Riker seinem Sohn in Barashs Illusion gegeben?
37. Wie hießen die Eltern von Jeremiah Rossa?
38. Wie hieß Norah Saties Vater?
39. Wie heißen die Eltern von Deanna Troi?
40. Wie hieß Wrenns Tochter?

SEKTION 0066

In welcher Episode... (Untersektion 11)

1. ... ist der erste Trill zu sehen?
2. ... kommt die Mutter von Jeremy Aster ums Leben?
3. ... fühlt sich LaForge zum Planeten Tarchannen III hingezogen?
4. ... wird Worf als Geburtshelfer aktiv?
5. ... erfährt Wesley Crusher seine wahre Bestimmung?
6. ... trifft die Enterprise auf eine Sonde der Kataaner?
7. ... spielt das Tox Uthat eine zentrale Rolle?
8. ... begegnet LaForge zum ersten Mal der wirklichen Leah Brahms?
9. ... war Andreas Katsulas zum ersten Mal als Tomalak zu sehen?
10. ... war Andreas Katsulas zum letzten Mal als Tomalak zu sehen?

SEKTION 0067

Wer schrieb das Drehbuch zu...
(Untersektion 11)

1. Die jungen Greise
2. Der Fall ›Utopia Planitia‹
3. Kontakte
4. Die Begegnung im Weltraum
5. So nah und doch so fern
6. Beförderung
7. Ort der Finsternis
8. Verräterische Signale
9. Neue Intelligenz
10. Geheime Mission auf Seltris, Teil 1
11. Die Operation
12. Der zeitreisende Historiker
13. Der Rachefeldzug

A. Maurice Hurley
B. Hilary J. Bader
C. Ronald D. Moore
D. Jeri Taylor
E. Rick Berman
F. John Mason und Mike Gray
G. Nicholas Sagan
H. Ronald D. Moore
I. René Echevarria
J. René Echevarria
K. René Echevarria
L. Joe Menosky
M. Ronald D. Moore

SEKTION 0068

Fremde Rassen, fremde Tiere und so weiter

Finden Sie sich zurecht in der multikulturellen Next Generation?

1. Welche Rasse war für die Vernichtung des letzten Schiffs der Tarellianer verantwortlich?
2. Wie viele Köpfe hat eine aldebaranische Schlange?
3. Zu welcher Rasse gehörte Ves Alkar?
4. Welche beiden großen Gruppe stritten sich um die Kontrolle der Kolonie auf Turkana IV?
5. Welche Rasse schickte eine Sonde aus, die dafür verantwortlich war, daß Reginald Barclay vorübergehend überaus intelligent wurde?
6. Mit welcher Rasse wurde der Vertrag von Armens unterzeichnet?
7. Wie hieß die letzte Lebensform auf Vagra II?
8. Wie heißt das klingonische Ritual, durch das man Mitglied einer klingonischen Familie wird?
9. Wie lange dauern bajoranische Totengesänge?
10. ›Aktuh und Melota‹ ist was?
11. Wie lautet der klingonische Ausdruck für ›Feuer‹ (im Sinne von ›Feuer frei!‹)?
12. Was ist B'aht Qui?
13. Was ist baktag?
14. An welcher Krankheit litt der klingonische Exobiologe J'Ddan?
15. Zu welcher Rasse gehört Mr. Mot?

16. Welches Tier, das für seinen lauten und markerschütternden Ruf bekannt ist, wurde in ›Wiedervereinigung?, Teil 2‹ erwähnt?
17. Welcher romulanische Senator nahm an den Handelsgesprächen zwischen den Romulanern und den Barolianern teil?
18. Wie heißt die Führerin der Regierung auf Angel One?
19. Ab welchem Lebensalter kann bei Vulkaniern das Bendii-Syndrom auftreten?
20. Von wem wurde Harry Bernard jun. 2364 entführt?
21. Welcher Rasse gehört der Sammler Kivas Fajo an?
22. Was ist B'Nar?
23. Wie hießen die beiden Vorgonen, die Picard das Tox Uthat entwenden wollten?
24. Aus welchem Quadranten stammen die Borg?
25. Von wem wurden die El-Aurianer im 23. Jahrhundert fast vollständig ausgelöscht?
26. Was ist Borhyas?
27. Was ist bregit-Lunge?
28. Wie hieß der Forschungsminister des Planeten Kaelon II?
29. Wer repräsentierte die Caldonier bei den Verhandlungen über das Wurmloch der Barzaner?
30. Warum trat Campio von der geplanten Hochzeit mit Lwaxana Troi zurück?
31. Wie hieß der Romulaner, der das heimliche Gefangenenlager leitete, in dem sich überlebende Klingonen des Khitomer-Massakers befanden?
32. Was ist chech'tluth?
33. Wie nennen sich die Tamarianer selbst?
34. Welche Epidemie des späten 19. Jahrhunderts auf der Erde nutzten die Devidianer zu ihren Gunsten, um ihre Morde zu tarnen?
35. Wer nahm für die Chrysalianer an den Verkaufsverhandlungen für das barzanische Wurmloch teil?

36. Was ist ›DaH!‹?
37. Welcher Begriff entspricht in der Rangordnung der Ferengi dem Raumschiffcaptain?
38. Wie hieß der Vater der Kaelonerin Dara?
39. Welches Amt bekleidete der Romulaner Tomalak in der von Barash erzeugten virtuellen Realität?
40. Wie hieß der Führer des Planeten Pacifica im Jahr 2364?
41. Welche Rasse wurde als die ›Dämonen aus Luft und Finsternis‹ bezeichnet?
42. Dewanisch, Dinasianisch und Iccobarisch sind drei Sprachen, deren historische Wurzeln in welcher anderen Sprache liegen?
43. Was ist ein d'k tahg?
44. Welcher Cardassianer leitete 2368 den Angriff auf einen bajoranischen Frachter, in dem sich der Bajoraner Orta befinden sollte?
45. Welches Rasse steht in direktem Zusammenhang mit Picards künstlichem Herzen?
46. Wer schrieb den klingonischen Klassiker *Der Traum vom Feuer*?
47. Wie hieß der Vater des Klingonen Duras?
48. Von wem wurde K'Ehleyr getötet?
49. Wer war 2367 Staatsoberhaupt auf Malcor III?
50. Wie heißt die mythologische klingonische Bestie, die als ›Wächter von Gre'thor‹ bekannt ist?
51. Welche Ferengi-Waffe wurde nur ein einziges Mal verwendet? In welcher Episode geschah das?
52. Wie heißt der kriosianische Begriff, der die letzte Phase in der sexuellen Entwicklung eines empathischen Metamorph kennzeichnet?
53. Wie hießen die Bewohner des antiken Cardassia?
54. Was wird am besten lebend serviert?
55. Zu welcher Rasse gehörte Galek Sar?

56. Wie heißt ein klingonisches Kindermädchen?
57. Wie hieß Worfs ghojmok?
58. Was ist Glinn?
59. Steht ein Glinn im Rang über einem Gul?
60. Was ist Ha'Dlbah?
61. Wie heißt das klingonische Selbstmordritual?
62. Jev gehört zur Rasse der ...?
63. Was ist das jamaharon?
64. Wie macht man auf Risa auf sein Verlangen nach jamaharon aufmerksam?
65. Wie viele Klingonen kamen beim Khitomer-Massaker ums Leben?
66. Wie hieß Duras Vater?
67. Durch welchen Wortwechsel wird ein klingonisches Eheversprechen besiegelt?
68. Was ist jolan true?
69. Was sagen Klingonen, wenn sie sich für etwas bedanken (was nicht gerade häufig geschehen dürfte)?
70. Wen bekämpfte Kahless in der sagenumwobenen Schlacht mit dem ersten bat'telh?
71. Welche Rasse entwickelte das Kavis Teke-Ausweichmanöver?
72. In wessen Hoheitsgebiet befindet sich das Kelrabi-System?
73. Welcher Rasse gehört Sirna Kolrami an?
74. Wo schmiedete Kahless der Sage nach seine erste bat'telh?
75. Mit welcher Waffe wurde Kurn verwundet, als Mitglieder der Duras-Familie versuchten, ihn umzubringen?
76. Wie hieß Picards Fisch?
77. Der Klingone L'Kor wurde 2346 beim Khitomer-Massaker ermordet. Wirklich?
78. Yuta war die Letzte ihres Clans. Wie hieß der Clan?
79. Was ist Maktag?

80. Was ist Mek'ba?
81. Zu welcher Rasse gehört Omag?
82. In wessen Territorium befindet sich der Mempa-Sektor?
83. Wer stand 2369 unter dem Verdacht, metagenische Waffen zu entwickeln?
84. Was bedeutet mev yap?
85. Wer war 2368 der verantwortliche romulanische Wissenschaftsoffizier für den im Experimentierstadium befindlichen Interphasengenerator?
86. Zu welcher Rasse gehört Kova Tholl?
87. Welcher romulanische General versorgte die Duras-Schwestern im klingonischen Bürgerkrieg mit Waffen?
88. Was heißt auf klingonisch »Komm her!«?
89. Welche klingonische Formulierung entspricht dem Begriff ›Déjà vu‹?
90. In ›Endars Sohn‹ sind zum ersten Mal Talarianer zu sehen. In welcher Episode wird zum ersten Mal von ihnen gesprochen?
91. Wie heißt das sexuelle Vorspiel der Ferengi?
92. Was wird beim Oo-mox stimuliert?
93. Wo leben die Wogneer-Wesen?
94. Wie hieß Gul Madreds Tochter?
95. Was ist pahtk?
96. Welchen Titel hat ein Stammesführer auf Mordan IV?
97. Welcher Rasse gehörte Rondon an?
98. Wie heißt die Krankheit, mit der sich klingonische Kinder infizieren können und die den irdischen Masern ähnelt?
99. In welcher Kultur spielt der Heilige Kelch von Rixx eine wichtige Rolle?
100. Zu welcher Rasse gehört Jaglom Shrek?
101. Was sagt ein Tamarianer, wenn er zum Ausdruck bringen will, daß jemand plötzlich etwas verstanden hat?
102. Was machte die Rasse der J'naii so ungewöhnlich?

103. Zu welcher Rasse gehörte Soren?
104. Zu welcher Rasse gehörte Sunad?
105. Wer sagt: »Tlhlngan jiH«?
106. Zu welcher Rasse gehörte Torsus?
107. Wer war von 2354 bis 2369 Direktorin der Wissenschaftlichen Akademie auf Vulkan?
108. Wer stand sich in der Schlacht von Tranome Sar gegenüber?
109. Was meint ein Nausicaaner, wenn er ›Undari‹ sagt?
110. Was ist Warnog?
111. Lt. Kwan war zur Hälfte Mensch. Was war er zur anderen Hälfte?
112. Mit wem befanden sich die Mentharer im Krieg?

109. Feigling

SEKTION 0069

Wer schrieb das Drehbuch zu...
(Untersektion 12)

1. Auf schmalem Grat
2. Noch einmal Q
3. Das Experiment
4. Die Überlebenden auf Rana-Vier
5. Mission ohne Gedächtnis
6. Geistige Gewalt

7. Die oberste Direktive
8. Traumanalyse
9. Worfs Brüder
10. Der Wächter
11. Ich bin Hugh
12. Angriff auf Borg, Teil 1
13. Die Zukunft schweigt

A. Barry M. Schkolnick
B. Maurice Hurley
C. René Echevarria
D. David Kemper und Michael Piller
E. Michael Wagner
F. Pamela Gray und Jeri Taylor
G. Ronald D. Moore
H. Brannon Braga
I. Richard Danarus
J. Naren Shankar
K. Lee Sheldon
L. Maurice Hurley
M. Herbert Wright

SEKTION 0070

Alle Zeit der Sterne (Untersektion 12)

1. Die Raumkatastrophe	A. 41416,2
2. Illusion oder Wirklichkeit?	B. 43657,0
3. Der einzige Überlebende	C. 46915,2
4. Interface	D. 46235,7
5. Datas Nachkomme	E. 43133,3
6. Prüfungen	F. 44085,7
7. Wiedervereinigung?, Teil 1	G. 42193,6
8. In der Hand von Terroristen	H. 47310,2
9. Riker : 2 = ?	I. 45397,3
10. Erwachsene Kinder	J. 45236,4
11. Das Gesetz der Edo	K. 46682,4
12. Die Macht der Paragraphen	L. 41255,6
13. Die ungleichen Brüder	M. 47215,5

SEKTION 0071

Unser heutiger Gast...

Sie sind das Salz in der Suppe, sie machen die *Next Generation* zu einer Fundgrube von Talenten aus allen Bereichen von TV und Film.

1. Wer spielte in ›Erwachsene Kinder‹ die jungen Gegenstücke von Picard, Ensign Ro, Guinan und Keiko?
2. Von wem wurde Carmen Davila gespielt?
3. In welchen Episoden war Clyde Kusatsu zu sehen? Welche Rolle spielte er?
4. Wer spielte in ›Mission Farpoint/Der Mächtige‹ Lieutenant Torres?
5. Welche feste Rolle aus *Deep Space Nine* war in einer *Next Generation*-Episode als Gast zu sehen?
6. Ben Childress war nur einmal in *Next Generation* zu sehen, aber zweimal in der *Classic*-Serie. In welchen Episoden spielte er mit?
7. Von wem wurde Admiral Aaron in der Episode ›Die Verschwörung‹ gespielt?
8. Norman Large war mehr als einmal Gast bei *Next Generation*. In welchen Episoden spielte er welche Rollen?
9. Was verbindet die Episode ›Ein mißglücktes Manöver‹ mit *Star Trek: Voyager*?
10. In welchen Episoden war Alan Altshuld zu sehen? In welchen Rollen?
11. Von wem wurde die Vorgonin Ajur gespielt?
12. Von wem wurde Ensign Tess Allenby gespielt?

13. In welcher Episode war ein Charakter namens Nilrem zu sehen? Von wem wurde er gespielt?
14. In welchen Episoden war David Tristan Birkin in welchen Rollen zu sehen?
15. Welche Rolle spielte Mary Kohnert in ›Die letzte Mission‹ und ›Das kosmische Band‹?
16. Amick Byram, der in ›Ort der Finsternis‹ als Ian Andrew Troi zu sehen war, hatte schon zuvor einmal in *Next Generation* mitgespielt. In welcher Episode? In welcher Rolle?
17. Wen spielte Page Leong? In welcher Episode war sie zu sehen?
18. Wie oft, in welchen Rollen und in welchen Episoden war Mike Gomez zu sehen?
19. Welcher bekannte Musiker spielte in ›Andere Sterne, andere Sitten‹ eine Rolle?
20. Bislang zweimal war Bruce Gray in der Rolle des Admiral Chekote zu sehen, einmal in *Next Generation*, einmal in *Deep Space Nine*. In welchen Episoden?
21. In *Star Trek: Der erste Kontakt* wird Zefram Cochrane von James Cromwell gespielt. Wer hatte zuvor diese Figur dargestellt?
22. In wie vielen *Star Trek*-Episoden insgesamt war Jennifer Hetrick bislang zu sehen?
23. Aus welcher Serie war Marta DuBois (Ardra in ›Der Pakt mit dem Teufel‹) in einer wiederkehrenden Rolle bekannt?
24. Jana Marie Hupp war in *Next Generation* in zwei verschiedenen Rollen zu sehen. Wen spielte sie in welcher Episode?
25. Als Gestaltwandlerin war Salome Jens in zahlreichen *Deep Space Nine*-Episode zu sehen. In welcher *Next Generation*-Episode wirkte sie gleichfalls mit?
26. In welcher *Deep Space Nine*-Episode war April Grace in

ihrer Rolle als Transporter Chief Maggie Hubbell zu sehen, eine Rolle, die sie in *Next Generation* wiederholt gespielt hatte?

27. Die Schauspielerin der Ariel in ›Planet Angel One‹ war aus einer anderen, ebenfalls futuristisch angelegten Serie in einer anderen Rolle zu sehen. Wie heißt die Serie, wie ihre Rolle und wie die Schauspielerin?
28. In welcher Episode war Ensign Taitt zu sehen? Von wem wurde er gespielt?
29. Von wem wurde der Ferengi Dr. Arridor gespielt?
30. In welchen *Next Generation*-Episoden war Marc Alaimo zu sehen?
31. Ron Canada war in *Deep Space Nine* als Klingone Ch'Pok zu sehen. Welche Rolle spielte er in *Next Generation*?
32. Wen spielte Susan Gibney in *Next Generation*?
33. Der Schauspieler, der in ›Eine hoffnungsvolle Romanze‹ den Botschafter Briam verkörperte, ist aus einer anderen SF-Serie bekannt, wo er eine feste Rolle hatte. Wie heißt der Schauspieler? Wie heißt die SF-Serie? Wie heißt dort seine Rolle?
34. Wer spielte den Prüfungsleiter Chang in ›Prüfungen‹?
35. Welche Rolle spielte Tim Russ in der Episode ›In der Hand von Terroristen‹?
36. Wer spielte die Rolle des Esoqq?
37. Wer spielte den Händler Kivas Fajo?
38. Wen spielte Sheldon P. Wolfchild in ›Gefahr aus dem 19. Jahrhundert, Teil 1‹?
39. Welche Rolle spielte Erika Flores in ›Katastrophe auf der Enterprise‹?
40. Was verbindet die Charaktere Rachel Garrett und Kurak?
41. Abgesehen von der Episode ›Erwachsene Kinder‹ spielte Isis J. Jones in welchem Film ebenfalls eine jüngere Whoopi Goldberg?

42. Aus welchem Genre ist der Darsteller des Admiral Haftel vor allem bekannt?
43. Er war Alidar Jarok in *Next Generation*, Dr. Mora Pol in *Deep Space Nine*, Jetrel in *Voyager*. Wer ist er?
44. Wer spielte Kahlest?
45. In welchen Rollen war Suzie Plakson in *Next Generation* zu sehen?
46. Von wem wurde der Klingone K'Temoc gespielt?
47. Oh, ja. Es gibt eine Verbindung zwischen *Next Generation* und Robert DeNiro. Aber welche?
48. Wer spielte Gul Lemec?
49. Brian Tochi verbindet die *Classic*-Serie mit *Next Generation*. Wie?
50. Wer wurde von Stephanie Erb gespielt?
51. Richard Herd schlägt über einen Umweg eine Brücke zur *Classic*-Serie. Wie?
52. Wer verbindet die Episode ›Geheime Mission auf Seltris, Teil 2‹ und den fünften und sechsten Kinofilm?
53. Wer spielte Kurt Mandl?
54. Wer spielte Ensign Mandel?
55. Stichwort: The Mamas and the Papas. Welche Episode ist gemeint?
56. Was verbindet Rod Loomis und Michelle Phillips?
57. Mendon und Mordoc sind in zweierlei Hinsicht gleich. In welcher?
58. Wer spielte Kataans Tochter Meribor?
59. Wer spielte den Ferengi Morta?
60. Nagilum wurde von Earl Boen gespielt. Warum erhielt das Wesen den Namen Nagilum? Und durch welche Rolle ist Earl Boen den meisten SF-Filmkennern bekannt?
61. Welche Rolle spielte Clyde Kusatsu und was verbindet durch ihn *Next Generation* indirekt mit *Babylon 5*?
62. Darryl Henriques verbindet *Star Trek VI: Das unentdeckte Land* und *Next Generation*. Wie?

63. Was verbindet die Episode ›Die Verfemten‹ mit *Star Trek: Der erste Kontakt*?
64. Wen spielte Natalia Nogulich?
65. Wer spielte die junge Keiko O'Brien?
66. Aus welcher Serie ist die Frau, die Gul Ocett spielte, vor allem bekannt?
67. Besteht eine Verbindung zwischen *Next Generation* und *Mondbasis Alpha 1*?
68. Wer spielte Omag?
69. Wer spielte den Cardassianer Gul Madred?
70. Wer spielte Jake Potts?
71. Wer spielte Willie Potts?
72. In welcher anderen Rolle und *Star Trek*-Serie war Anne Haney zu sehen, nachdem sie in ›Die Überlebenden auf Rana-Vier‹ als Rishon Uxbridge aufgetreten war?
73. Wer war maßgeblich an der Entstehung der Episode ›Der stumme Vermittler‹ beteiligt?
74. Wer spielte in Rascals die junge Ro Laren?
75. Welche Rolle spielte Teri Hatcher als Gast in einer Episode der Serie?
76. Wen spielte Robert Riordan?
77. Welche Rolle spielte die berühmte Jean Simmons?
78. Welche wichtige Rolle hatte Alicia Krige in *Star Trek: Der erste Kontakt*?
79. Wer spielte Flottenadmiral Shanthi?
80. Wer spielte das Enterprise-Besatzungsmitglied, das als erstes in *Next Generation* sterben mußte?
81. Wie oft wirkte Shannon Fill mit?
82. Aus welcher Serie war die Schauspielerin, die in ›Verbotene Liebe‹ die Rolle der Soren spielte, vor allem bekannt? Und wie hieß sie?
83. Von wem wurde Dr. Paul Stubbs gespielt?
84. Wer sich hinter ›Dritter von Fünf‹ verbirgt, ist wohl bekannt. Aber wie hieß der Schauspieler?

85. Wer spielte Palor Toff?
86. Wen spielte Sterling Macer?
87. LaForges Mutter wurde von Madge Sinclair gespielt. Wo war sie in *Star Trek* zuvor schon zu sehen gewesen?
88. Von wem wurde in ›Ort der Finsternis‹ Deanna Trois Vater Ian Andrew Troi gespielt?
89. Welches ehemalige Stammitglied hatte in ›Parallelen‹ einen Kurzauftritt? In welcher Rolle?
90. Wer spielte den Captain Sirol?
91. Wer spielte den Kellner Ben in ›Beförderungen‹?
92. Von wem wurde die Heilerin Talur gespielt?
93. Von wem wurde Gia gespielt?
94. Wen spielte Ned Romero in ›Am Ende der Reise‹?
95. Welcher *Deep Space Nine*-Star hatte einen kleinen Auftritt in ›Ritus des Aufsteigens‹?
96. Wer spielte den erwachsenen Alexander Rozhenko?
97. Welcher spätere *Voyager*-Schauspieler war in einer anderen Rolle in *Star Trek: Treffen der Generationen* zu sehen?
98. Wann wurde Malcolm McDowell geboren?
99. Wo wurde Malcolm McDowell geboren?
100. In welchem Film war Malcolm McDowell zum ersten Mal zu sehen?
101. Durch welchen Filme wurde Malcolm McDowell 1971 weltbekannt?
102. Wie hießen die drei Filme, bei denen Malcolm McDowell mit dem Regisseur Lindsay Anderson zusammenarbeitete?
103. Was verbindet Malcolm McDowell indirekt mit *Star Trek II: Der Zorn des Khan* und Star Trek VI: Das unentdeckte Land?
104. Wann begann William Shatner mit den Dreharbeiten zu *Star Trek: Treffen der Generationen*?

105. Wann wurde Olivia d'Abo geboren?
106. In welcher Serie hatte Olivia d'Abo eine feste Rolle? Wie hieß die Rolle?
107. Wer spielte Wakasa in ›Am Ende der Reise‹?
108. Welche vier Rollen spielte Marc Alaimo in welchen vier *Next Generation*-Episoden?
109. Wie oft war Rhonda Aldrich in *Next Generation* zu sehen?
110. In welcher Westernserie wirkte Chad Allan mit? Wie hieß seine Rolle?
111. Wer spielte Jessica Bradley?
112. Durch welche Rolle in welcher Serie wurde Mädchen Amick bekannt?
113. In welchem Film nahm Mädchen Amick ihre Rolle aus der Serie *Twin Peaks* wieder auf?
114. In welcher Serie spielte Erich Anderson, der in ›Mission ohne Gedächtnis‹ als Kieran McDuff zu sehen war, die Rolle des Billy Sidel?
115. Wann starb John Anderson alias Kevin Uxbridge?
116. In welchem Hitchcock-Klassiker aus dem Jahr 1960 spielte John Anderson mit?
117. Wie hieß der Polizeichef, der von Gary Armagnal in ›Der große Abschied‹ gespielt wurde?
118. Vaughn Armstrong war in *Next Generation* ein Klingone, in *Deep Space Nine* ein Cardassianer und in *Voyager* ein Romulaner. Welche Rolle spielte er in welcher Serie und in welcher Episode?
119. Welchen heute bekannten Schriftsteller spielte Michael Aron im Zweiteiler ›Gefahr aus dem 19. Jahrhundert‹?
120. Wer spielte die Countess Regina Bartholomew in ›Das Schiff in der Flasche‹?
121. Wo wurde Stephanie Beacham geboren?
122. In welcher ›nassen‹ SF-Serie spielte Stephanie Beacham die Rolle der Dr. Kristin Westphalen?

123. Wer ist Mutter von Corbin Bernsen, dem zweiten Q in ›Noch einmal Q‹?
124. Wo wurde Theodore Bikel geboren?
125. Wer spielte die Rolle des Admiral Thomas Henry in ›Das Standgericht‹?
126. Kim Braden war in einer ›Das kosmische Band‹ und *Star Trek: Treffen der Generationen* zu sehen. Welche Rolle spielte sie jeweils?
127. Wer spielte in ›Parallelen‹ die Rolle des Gul Nador?
128. Wer spielte Ensign Nell Chilton in ›Gestern, heute, morgen‹?
129. Wer spielte die Rolle des Commander Bruce Maddox?
130. Sie war drei Jahre lang Schwester Shirley Daniels in *St. Elsewhere.* Wen spielte sie in *Next Generation* in ›Datas Hypothese‹? Und wie heißt die Schauspielerin?
131. Wann wurde Merritt Butrick geboren?
132. Wann starb Merritt Butrick?
133. Merritt Butrick, der in ›Die Seuche‹ als T'Jon zu sehen war, hatte von 1982 bis 1983 eine feste Rolle in einer Fernsehserie. Wie hieß die Serie? Wie hieß seine Rolle?
134. Von wem wurde Maurice Picard gespielt?
135. Sie war in der gleiche Rolle als Kalita in *Next Generation* in der Episode ›Die Rückkehr von Ro Laren‹ und in *Deep Space Nine* in der Episode ›Defiant‹ zu sehen. Wie heißt die Schauspielerin?
136. Welche Rolle spielte George Coe, der als Ben Cheviot aus *Max Headroom* bekannt war, in *Next Generation*?
137. In *Deep Space Nine* war Christopher Collins in den Episoden ›Der Parasit‹ und ›Der Blutschwur‹ zu sehen. In welchen Rollen wirkte er in welchen *Next Generation*-Episoden mit?
138. Als Eric Burton war er in drei *Next Generation*-Episo-

den zu sehen. Wie heißt der Schauspieler? Um welche Episoden handelte es sich?

139. In welchem ›schweinischen‹ Film wirkte James Cromwell 1995 mit?
140. Wer spielte in ›In der Hand von Terroristen‹ die Rolle des Satler?
141. Von wem wurde Beverly Crushers Großmutter Felisa Howard gespielt?
142. In welcher Serie wirkte Marta DuBois mit (die in ›Der Pakt mit dem Teufel‹ die Rolle der Ardra gespielt hatte), in der sie an der Seite von Stephen Collins zu sehen war?
143. Von wem wurde Marie Picard in ›Familienbegegnung‹ gespielt?
144. Wo wurde Samantha Eggar geboren?
145. Aus welcher anderen *Star Trek*-Produktion war Robert Ellenstein, der in ›Die Frau seiner Träume‹ den Steven Miller spielte, bekannt?
146. Als Dr. Kila Marr war Ellen Geer in ›Das Recht auf Leben‹ zu sehen. Wer war ihr Vater?
147. Aus welcher Rolle in welchen *Next Generation*-Episoden war die Schauspielerin bekannt, die in *Deep Space Nine* in den Episoden ›Die Front‹ und ›Das verlorene Paradies‹ zu sehen war?
148. Von wem wurde Dr. Appollinaire in ›Gefahr aus dem 19. Jahrhundert, Teil 2‹ gespielt?
149. Wie hieß die Nachfolgeserie von ›Cheers‹, in der Kelsey Grammer – der in ›Déjà Vu‹ den Captain Morgan Bateson spielte – die Hauptrolle hatte?
150. Welchem Beruf ging Tommy Hinkley in *Star Trek: Treffen der Generationen* nach?
151. Wo wurde Wendy Hughes geboren?
152. In welcher Rolle war Rosalind Ingledew in ›Der unmögliche Captain Okona‹ zu sehen?

153. Durch welche Rolle wurde Robert Ito, der in ›Prüfungen‹ als Prüfungsleiter Chang zu sehen war, vor allem bekannt?
154. Marc Alaimo war einer der beiden Romulaner, die in ›Die neutrale Zone‹ ihren ersten Auftritt hatten. Wer war der andere? Wie hieß seine Rolle?
155. Wann wurde Jeremy Kemp geboren?
156. Wie heißt Jeremy Kemp wirklich?
157. Von wem wurde Ensign Demora Sulu in *Star Trek: Treffen der Generationen* gespielt?
158. Wen spielte Alan Ruck in *Star Trek: Treffen der Generationen*?
159. In ›So nah und doch so fern‹ war er Mirok, in ›Neue Intelligenz‹ der Lokführer und in *Star Trek: Treffen der Generationen* ein Kommunikationsoffizier? Um welchen Schauspieler geht es?
160. Wer spielte die Borg-Königin in *Star Trek: Der erste Kontakt*?
161. Von wem wurde die barzanische Premier Bhavani gespielt, das weibliche Regierungsoberhaupt von Barzan?
162. Wann wurde Alice Krige geboren?
163. Von wem wurde Prof. Richard Galen in ›Das fehlende Fragment‹ gespielt?
164. Wen spielte Michael Mack in *Star Trek: Treffen der Generationen*?
165. Wo wurde Barbara March, die Darstellerin der Lursa, geboren?
166. Wen spielte Henry Marshall in *Star Trek: Treffen der Generationen*?
167. Sie spielte eine Ex-Freundin von Picard und wurde 1980 mit einem Golden Globe Award ausgezeichnet. Um wen handelt es sich?
168. Wie oft war Jim Norton als Einstein zu sehen? Und in welchen Episoden?

169. In welcher *Next Generation*-Episode wirkte Michael Pataki in welcher Rolle mit? Und in welcher Rolle war er in welcher *Classic*-Episode zu sehen?
170. Wann wurde Michelle Phillips geboren?
171. Wie lautet Michelle Phillips' wirklicher Name?
172. Von wem wurde der Holodeck-Komiker in ›Der unmögliche Captain Okona‹ gespielt?
173. John S. Ragin war als Doctor Christopher in ›Verdächtigungen‹ zu sehen. Aus welcher Serie, in der er von 1976 bis 1983 eine feste Rolle spielte, ist er vor allem bekannt?
174. In welchen Episoden war Anne Elizabeth Ramsey als Clancy zu sehen?
175. In welcher Rolle war Duncan Regehr in *Next Generation* zu sehen gewesen? Und in welcher Rolle wirkte er später in *Deep Space Nine* mit?
176. in welcher Episode spielte Peter Mark Richman mit?
177. Von wem wurde in den Episoden ›Gedankengift‹, ›Der Ehrenkodex‹ und ›Die Frau seiner Träume‹ der Transporterchief gespielt?
178. in ›Die Waffenhändler‹ war er Captain Paul Rice, in ›Der Rachefeldzug‹ war er Glinn Telle. Wie heißt der Schauspieler?
179. Von wem wurde Kirks Geliebte Antonia in *Star Trek: Treffen der Generationen* gespielt?
180. Wie heißt Dwight Schultz mit vollem Name?
181. Von wem wurde René Picard in *Star Trek: Treffen der Generationen* gespielt?
182. In welchen Episoden war Joanna Miles als Perrin zu sehen?
183. In ›Das fremde Gedächtnis‹ war William Morgan Sheppard als Dr. Ira Graves zu sehen. In welchem *Star Trek*-Film spielte er einen Klingonen?
184. Aus welcher Serie ist David Ogden Stiers den Zu-

schauern vor allem bekannt? Welche Rolle spielte er dort?

185. Wo wurde Carel Struycken geboren?
186. In welchen *Next Generation*-Episoden spielte Carel Struycken die Rolle des Mr. Homn?
187. Welcher ungewöhnliche Gast schlüpfte in ›Rikers Vater‹ in die Maske eines Klingonen?
188. In *Deep Space Nine* hatte sie eine vieldiskutierte Liebesszene mit Terry Farrell. Wie heißt die Schauspielerin? Welche Rollen spielte sie in welchen *Next Generation*-Episoden?
189. In welcher Episode spielte Tony Todd zum ersten Mal den Klingonen Kurn?
190. Welche andere Rolle als die des Kurn aus *Next Generation* spielte Tony Todd in *Deep Space Nine* außerdem?
191. Welche Rolle spielte Beth Toussaint in welcher Episode?
192. Von wem wurde Kristin in ›Mission ohne Gedächtnis‹ gespielt?
193. In welchem Teil der *Police Academy*-Reihe war Matt McCoy zusammen mit René Auberjonois (Odo aus *Deep Space Nine*) zu sehen?
194. In welchen *Next Generation*-Episoden war Harley Venton als Transporteroffizier zu sehen?
195. Welche Rolle spielte Ben Vereen in *Next Generation*?
196. In welcher Episode war Gwynyth Walsh zum ersten Mal als B'Etor zu sehen?
197. Wann wurde Ray Walston geboren?
198. In welchen Episoden und welchen Rollen war Tracey Walter in *Next Generation* zu sehen?
199. Von wem wurde Kestra Troi gespielt?
200. In welcher Episode hatte die Tochter des Maskenbildners Michael Westmore, McKenzie Westmore, einen Gastauftritt?

201. Welche Geschwister von Wil Wheaton haben in *Next Generation* mitgewirkt? In welcher Episode?
202. Als Texas war er in ›Hotel Royale‹ zu sehen. Wie heißt der Schauspieler?
203. In welcher Actionserie hat Noble Willingham seit 1993 eine feste Rolle als C. D. Parker?
204. *Mein Onkel vom Mars* oder Richter Henry Bone aus *Picket Fences* war in welcher Episode als Gast zu sehen?
205. In welchen *Next Generation*-Episoden war Pamela Winslow als Ensign McKnight zu sehen?
206. Wer spielte den Liko in ›Der Gott der Mintakaner‹?
207. Mit wem war Malcolm McDowell von 1980 bis 1990 verheiratet?
208. Welche Rolle spielte Alfre Woodard in *Star Trek: Der erste Kontakt*?
209. Wann wurde Alfre Woodard geboren?
210. Für die Rolle in welchem Film wurde Alfre Woodard für einen Oscar nominiert?
211. In welcher Serie spielte Alfre Woodard von 1985 bis 1987 die Rolle der Dr. Turner?
212. Wer spielte die Rolle des Ian Andrew Troi in ›Das Kind‹?
213. Von wem wurde Kareen Briannon in ›Das fremde Gedächtnis‹ gespielt?
214. Er war in *Deep Space Nine* Tosk in ›Tosk, der Gejagte‹ und Goran'Agar in ›Der hippokratische Eid‹, außerdem in *Voyager* Rollins in ›Der Fürsorger‹? Wer war er in *Next Generation*? Und wie heißt der Schauspieler?
215. In welchen *Next Generation*-Episoden war Biff Yeager in welcher Rolle zu sehen?
216. Wen spielte Rod Loomis in ›Begegnung mit der Vergangenheit‹?
217. Richard Lynch, der im Zweiteiler ›Der Schachzug‹ als

Baran zu sehen war, hatte 1980 in einer anderen Science fiction-Serie eine feste Rolle. Wie hieß die Serie? Wie hieß seine Rolle?

218. Was verbindet Deep Throat aus ›Akte X‹ mit Mark Twain in ›Times Arrow‹?
219. Welche Rolle spielte Brooke Bundy?
220. Mit welchen Wissenschaftlern spielte Data eine Pokerpartie in ›Angriff auf Borg, Teil 1‹ und von wem wurden sie dargestellt?
221. Wie hießen die Schauspielerinnen, die der Ferengi Omag in ›Wiedervereinigung?, Teil 2‹ als weibliche Begleiterinnen an seiner Seite hatte?
222. Welchem Beruf geht der Schauspieler nach, der in ›Der Schachzug, Teil 2‹ den Klingonen Koral spielte? Und wie heißt er?
223. Was ist so kurios an der Besetzung einer Rolle in *Star Trek: Treffen der Generationen* mit Jenette Goldstein?
224. Hallie Todd verbindet indirekt *Next Generation* mit der *Classic*-Serie. Wieso?
225. Von wem wurde Christi Henshaw gespielt?
226. Welche Rolle spielte Kirsten Dunst? In welcher Episode? In welchem Vampirfilm wirkte sie 1994 mit?
227. In welcher Serie wirkten unter anderem David Ogden Stiers, Jean Simmons, Kirstie Alley und Jonathan Frakes mit?
228. In welcher Serie hatte Carolyn McCormick von 1986 bis 1987 eine feste Rolle?

SEKTION 0072

In welcher Episode... (Untersektion 12)

1. ... fällt Picard in den Bann von Kamala?
2. ... will Lwaxana Troi einen Mann heiraten, den sie nicht einmal kennt?
3. ... trifft Data auf eine rund 500 Jahre jüngere Guinan?
4. ... wird LaForge unwissentlich beinahe zum Attentäter?
5. ... will Lwaxana Troi einen Mann davor bewahren, rituellen Selbstmord zu begehen?
6. ... lehnt Riker die gottgleichen Kräfte ab, die Q ihm verspricht?
7. ... wird Wesley Crusher zum Tode verurteilt?
8. ... nimmt Data mit Sarjenka Kontakt auf?
9. ... verliebt sich Lwaxana Troi in eine Holodeck-Figur?
10. ... kann Data die Bank sprengen, um mit Worf und Riker auf die Enterprise zurückkehren zu können?

SEKTION 0073

Planeten und ihre Episoden (Untersektion 6)

1. Klavdia III	A. Geheime Mission auf Seltris, Teil 1
2. Daled IV	B. Die jungen Greise
3. Gagarin IV	C. Der stumme Vermittler
4. Manu III	D. Gedächtnisverlust
5. Veridian III	E. Die Thronfolgerin
6. Malkus IX	F. Star Trek: Treffen der Generationen
7. Lysia	G. Willkommen im Leben nach dem Tode
8. Nahmi IV	H. Fähnrich Ro
9. Milika III	I. Die Thronfolgerin
10. Vilmor II	J. Die Rettungsoperation
11. Torman V	K. Mission ohne Gedächtnis
12. Garon II	L. Das fehlende Fragment
13. Melnos IV	M. Der Feuersturm
14. Miridian VI	N. Der schüchterne Reginald

SEKTION 0074

Schiffe und Shuttles

Zeigen Sie, wie gut Sie sich mit dem Transportmittel der Zukunft auskennen.

1. Zu welcher Klasse gehört die S.S. Milan?
2. Welche Registriernummer hatte das vulkanische Raumschiff T'Pau?
3. Nach wem wurde die U.S.S. Bradbury benannt?
4. Welches Schiff befehligte Captain Darson zuletzt?
5. Wann wurde die U.S.S. Hathaway in Dienst gestellt?
6. Wie groß war die normale Besatzung der U.S.S. Lantree?
7. Auf welchem Ferengi-Schiff wurden Mutter und Tochter Troi und Riker in ›Die Damen Troi‹ entführt?
8. Wie hieß der Föderationsfrachter, der 2367 auf Turkana IV abstürzte?
9. Welche Registriernummer trug der Prototyp U.S.S. Ambassador, nach dem eine Raumschiffklasse benannt wurde?
10. Zu welcher Frachterklasse gehörte das Schiff, das 2369 heimlich den romulanischen Vize-Prokonsul M'ret in Föderationsgebiet bringen sollte?
11. Wie hieß der Föderationsfrachter, der in der Nähe des Planeten Turkana IV explodierte?
12. Riker lehnte auch im Jahr 2365 das Angebot ab, ein Schiff zu befehligen. Wie hieß das Schiff?
13. Wie hieß der promellianische Kreuzer, dessen Überreste 2366 in der Nähe von Orelious IX entdeckt wurden?

14. Auf welchem Schiff war Reginald Barclay stationiert, bevor er auf die Enterprise kam?
15. Wie hieß der talarianische Frachter, der 2364 von abtrünnigen Klingonen gekapert wurde?
16. Welches Schiff befehligte Captain Rixx?
17. Wieviel wiegt ein Scoutschiff der Borg?
18. Wie groß ist die übliche Besatzung eines Scoutschiffs der Borg?
19. Welcher klingonische Schlachtkreuzer kam der Enterprise zur Hilfe, als sie Berichten über eine geheime romulanische Basis auf Nelvana III nachging?
20. Zu welcher Klasse Schlachtkreuzer gehörte die I.K.C. Bortas?
21. Welcher klingonische Schlachtkreuzer diente als Gowrons Flaggschiff im klingonischen Bürgerkrieg?
22. Nachdem die Mannschaft dieses Schiffes mit den Kindern der Genetik-Forschungsstation Darwin in Kontakt gekommen war, starb sie. Welches Schiff ist gemeint?
23. Von der Besatzung welches Raumschiffs wurde Data später entdeckt, nachdem die Omicron Theta-Kolonie zerstört worden war?
24. Auf welchem Schiff diente Data vor seiner Versetzung auf die Enterprise?
25. Mit welchem romulanischen Schiff traf die Enterprise in der von Barash erzeugten virtuellen Realität zusammen?
26. Wie hieß das Transportschiff, das Botschafter Ves Alkar nach Rekag-Seronia bringen sollte?
27. Welches Schiff befehligte der Talarianer Endar?
28. Welchen Namen trug das Enterprise-Shuttle Nr. 9, das 2369 zerstört wurde?
29. Mit welchem Shuttle flogen Picard, Dr. Crusher und Worf nach Torman V?
30. Welches Shuttle bekam Scotty mit auf den Weg, nachdem er mit LaForge die Enterprise gerettet hatte?

31. Welches Schiff befehligte Subcommander Taris?
32. Mit welchem Schiff sollte die Enterprise nach der Untersuchung der Feuerstürme auf Bersallis zusammentreffen?
33. Welches Schiff der Bird of Prey-Klasse befehligte Kurn im klingonischen Bürgerkrieg?
34. Auf welchem Schiff entführte Kivas Fajo Data?
35. Zu welcher Klasse gehört der romulanische Warbird Khazara?
36. Welches Schiff kommandierte der Ferengi Bractor 2365?
37. Wie hieß das Shuttle der J'naii, das 2368 mit Unterstützung der Enterprise geborgen wurde?
38. Welches Schiff befehligte Gul Lemec?
39. Welches Raumschiff wurde 2167 über dem Mond Mab-Bu VI zerstört?
40. Wie hieß das klingonische Schiff, das in ›Das fehlende Fragment‹ zu sehen war?
41. Zu welcher Klasse gehörte das klingonische Schiff in ›Das fehlende Fragment‹?
42. Mit welchem Schiff wurde Sarek nach der Konferenz mit den Legaranern zurück nach Vulkan gebracht?
43. Mit welchem Schiff wurde Wesley Crusher nach seinem Besuch auf der Enterprise in ›Gefährliche Spielsucht‹ zurück zur Erde gebracht?
44. Welchen Namen hatte das Schiff der Pakleds, dem die Enterprise 2365 begegnete?
45. Wie hieß der klingonische Schlachtkreuzer der Vor'cha-Klasse, der sich 2369 mit der Enterprise traf?
46. Mit welchem Shuttle begab sich Dr. Pulaski zum Planeten Gagarin IV?
47. Auf welchem Raumschiff diente Montgomery Scott zuerst als Chefingenieur?
48. Welche Registriernummer hatte Jaglom Shreks Schiff?
49. An Bord welches Shuttles lotste Picard die Enterprise aus dem Mar Oscura-Nebel?

50. Bei welcher Gelegenheit wurde die U.S.S. Tolstoy zerstört?
51. Als welches andere Schiff war die U.S.S. Tsiolkovsky in leicht abgewandelter Form zuvor zu sehen gewesen?
52. Welche Nummer trug das Shuttle, das 2364 auf Vagra II abstürzte?
53. Mit welchem Schiff wurde Duras 2367 zu einem Rendezvous mit der Enterprise befördert?
54. Welches Schiff sucht die Enterprise im Hekaras-Korridor?

SEKTION 0075

Wer schrieb das Drehbuch zu... (Untersektion 13)

1.	Boks Vergeltung	A.	Nicholas Sagan
2.	Genesis	B.	René Echevarria
3.	Déjà Vu	C.	Ronald D. Moore
4.	Ein mißglücktes Manöver	D.	Ed Zuckerman
5.	Riker unter Verdacht	E.	Ronald D. Moore und Naren Shankar
6.	Die Macht der Paragraphen	F.	Hannah Louise Shearer
7.	Der Barzanhandel	G.	Joe Menosky
8.	Der Kampf um das klingonische Reich I	H.	Brannon Braga und Ronald D. Moore
9.	Der Telepath	I.	Brannon Braga
10.	Das Recht auf Leben	J.	Brannon Braga
11.	Der einzige Überlebende	K.	Melinda M. Snodgrass
12.	Aquiel	L.	Brannon Braga
13.	Eine echte ›Q‹	M.	Dennis Putnam Bailey und David Bischoff
14.	Gefährliche Spielsucht	N.	Jeri Taylor

SEKTION 0076

Alle Zeit der Sterne (Untersektion 13)

1. Die Zukunft schweigt	A. 43510,7
2. Die Damen Troi	B. 47135,2
3. Die Begegnung im Weltraum	C. 42779,1
4. Das Herz eines Captains	D. 43930,7
5. Wiedervereinigung?, Teil 2	E. 44769,2
6. Der Schachzug, Teil 1	F. 41153,7
7. Das Standgericht	G. 41601,3
8. Besuch von der alten Enterprise	H. 45944,1
9. Mission Farpoint	I. 46125,3
10. Die schwarze Seele	J. 46578,4
11. Terror auf Rutia-Vier	K. 45245,8
12. Das zweite Leben	L. 44614,6
13. Der Moment der Erkenntnis, Teil 1	M. 42679,2

SEKTION 0077

Gäste von gestern

Sie verbinden die beiden *Star Trek*-Generationen. Kennen Sie sich aus?

1. In welchem Jahr starb Sarek an den Folgen des Bendii-Syndroms?
2. Für wen sprangen James Doohan und Walter Koenig bei *Star Trek: Treffen der Generationen* ein?
3. In welchem Jahr wurde James T. Kirk geboren?
4. Wie alt war McCoy, als er als Admiral auf die Enterprise-D kam?
5. Wann wurde Sarek geboren?
6. In welchem Jahr ging Montgomery Scott in den Ruhestand?
7. Wann wurde Spock geboren?
8. In welchem Jahr starb Spock?
9. In welchem Jahr wurde Spock wieder zum Leben erweckt?
10. Wann reiste Spock heimlich nach Romulus?
11. Amanda war Botschafter Sareks erste oder zweite Frau?
12. Wie alt war Spock, als er T'Pring versprochen wurde?
13. Wie lautete Spocks Dienstnummer?
14. Welche Blutgruppe hat Spock?
15. Wie hieß Sareks letzte Frau?
16. Der wie vielte Vulkanier in der Starfleet war Spock?
17. Auf welchem Schiff diente Spock zuerst?

18. Wer war 2285 der Hüter von Spocks Katra?
19. Wie hieß Sareks Vater?
20. Wie lautete Montgomery Scotts Dienstnummer?
21. Wie hieß Sareks Großvater?
22. Wer waren Spocks Eltern?

SEKTION 0078

Planeten und ihre Episoden (Untersektion 7)

1. Landris II	A. Andere Sterne, andere Sitten
2. Malcor III	B. Der Feuersturm
3. Kostolain	C. Soongs Vermächtnis
4. Kenda II	D. Der unbekannte Schatten
5. Kavis Alpha IV	E. Die letzte Mission
6. Tarchannen III	F. Das Experiment
7. Marejaretus VI	G. Das Schiff in der Flasche
8. Mataline II	H. Die Macht der Naniten
9. Meles II	I. Wiedervereinigung?, Teil 2
10. Qualor II	J. Hochzeit mit Hindernissen
11. Shiralea VI	K. Der Feuersturm
12. Pentarus II	L. Erster Kontakt
13. Hekaras II	M. Hochzeit mit Hindernissen
14. Atrea IV	N. Die Raumkatastrophe

SEKTION 0079

Alle Zeit der Sterne (Untersektion 14)

1. Mutterliebe	A. unbekannt
2. Angriff auf Borg, Teil 1	B. 44631,2
3. Der große Abschied	C. 46982,1
4. Augen in der Dunkelheit	D. 41997,7
5. Datas erste Liebe	E. 45733,6
6. Indiskretionen	F. 47622,1
7. Hochzeit mit Hindernissen	G. 43610,4
8. Geheime Mission auf Seltris, Teil 2	H. 43198,7
9. Der Fall ›Utopia Planitia‹	I. 46360,8
10. Der Kampf um das klingonische Reich II	J. 45020,4
11. Riker unter Verdacht	K. 44932,3

SEKTION 0080

Wer schrieb das Drehbuch? (Untersektion 14)

1. Die Frau seiner Träume	A. Robin Bernheim
2. In den Subraum entführt	B. Sam Rolfe
3. Die Neutrale Zone	C. Frank Abatemarco
4. Gefangen in der Vergangenheit	D. Frank Abatemarco
5. Die Verfemten	E. Tracy Tormé
6. Die Energiefalle	F. Maurice Hurley
7. Das Kind	G. Jaron Summers, Jon Povill und Maurice Hurley
8. Yuta, die letzte ihres Clans	H. Richard Manning und Hans Beimler
9. Versuchskaninchen	I. Scott Rubenstein und Leonard Mlodinow
10. Geheime Mission auf Seltris, Teil 2	J. Ronald D. Moore
11. Die Thronfolgerin	K. Scott Rubenstein und Leonard Mlodinow
12. Geheime Mission auf Seltris, Teil 2	L. Brannon Braga
13. Die Thronfolgerin	M. Ira Steven Behr
14. Der Überläufer	N. Ron Roman, Michael Piller und Richard Danus

SEKTION 0081

Dies und das

Ganz zum Schluß müssen Sie noch einmal alle Register Ihres *Star Trek*-Wissens ziehen. Stars, Charaktere, Querverbindungen, Hintergründe ... von allem etwas. Auf zum Endspurt!!!

1. ›Die Seuche‹ präsentiert zwei Gäste, die bereits in einem *Star Trek*-Film zu gegnerischen Lagern gehörten. Wie hieß der Film, wie heißen die Schauspieler, wie hießen ihre Filmrollen, wie hießen ihre Rollen in dieser Episode?
2. Henry Darrow spielte in ›Die Verschwörung‹ den Admiral Savar. In welcher Westernserie wurde er bekannt? Wie lautete dort sein Rollenname? Von wann bis wann spielte er diese Rolle?
3. In welchen Episoden wirkt John DeLancie als Q mit, in deren Originaltitel nicht der Name Q erscheint?
4. In *Voyager* spielt er Tom Paris. Wie heißt der Schauspieler? In welcher *Next Generation*-Episode wirkte er ebenfalls mit? Welche Rolle verkörperte er dort?
5. Er sollte an der Stelle der richtigen Eltern den Jungen Harry Bernard jun. großziehen. Wie hieß er? Von wem wurde er gespielt? Auf welchem Planeten sollte das geschehen? Und in welchem Jahr?
6. Professor Richard Galen war auf der Suche nach der Geschichte der ersten Humanoiden in der Galaxis. Auf

dem Weg nach Caere kam er von welcher Raumstation der Föderation? Wie hoffte er, nach Caere zu gelangen?

7. Walter Koenigs Ehefrau Judy Levitt war in drei *Star Trek*-Filmen zu sehen, darunter auch in *Star Trek: Treffen der Generationen*, erhielt aber nie einen Rollennamen. Wen oder was spielte sie in welchem Film?
8. Welchen Rang hatte der Vater des tödlich verunglückten Kadetten Joshua Albert? Von wem wurde er gespielt?
9. Wie hieß der Regierungschef des Systems Valt Minor? Welchen Titel trug er? Von wem wurde die Frau gespielt, die ihm zum Geschenk gemacht wurde?
10. Ein Pulp-Magazin aus dem 20. Jahrhundert spielt ein maßgebliche Rolle, wenn es um Picardas Lieblingssimulation auf dem Holodeck geht. Wie hieß das Magazin? Wie hieß der Detektiv, der Picard zu der Simulation veranlaßte? In welchem Jahr erschien die erste Geschichte mit diesem Detektiv?
11. Badar N'D'D war der Name einer seiner Rollen. Wie heißt der Schauspieler und in welchen anderen Rollen war er in *Next Generation* zu sehen?
12. Von wie vielen Schauspieler wurde der junge Batai dargestellt und wie heißen sie?
13. In welchem Jahrhundert und auf welchem Planeten versteckte der Erfinder des Tox Uthat seine Entwicklung, um es vor Dieben zu schützen?
14. In welchem Jahr kommandierte Data zum ersten Mal ein Raumschiff? Wie hieß das Schiff? Aus welchem Anlaß erhielt er das Kommando?
15. Als Neelix ist er den *Voyager*-Zuschauern bekannt. Wie heißt der Schauspieler? In welcher *Next Generation*-Episode war er zu sehen? Wie hieß seine Rolle? Welcher Rasse gehörte er an?

16. Was ist ein Glavin? Auf welchem Planeten wird es verwendet?
17. Wen spielte John Hancock? Und in welchen Episoden?
18. In welchem Jahr wurde Iconia entdeckt, die Heimatwelt einer vor 200 000 ausgelöschten, hochentwickelten Rasse? Wer entdeckte den Planeten?
19. Wie hieß die imaginäre Freundin von Clara Sutter? Von wem wurde sie gespielt?
20. Von welchem Planeten stammt Dr. Ja'Dar? Von wem wurde er gespielt?
21. Von wann bis wann lebte Admiral Mark Jameson? Wie hieß seine Frau?
22. In welchem Jahr gelang endlich ein erfolgreicher Kontakt mit den Jarada? Wer stellte diesen Kontakt her?
23. Wer verriet die Klingonen auf dem Khitomer-Außenposten an die Romulaner? In welchem Jahr geschah das?
24. Auf welchem Planeten findet man Jokri? Und was ist Jokri überhaupt?
25. Wie hieß die Ktarianerin, die Riker 2368 auf Risa begegnete und die ihn mit einem süchtig machenden Spiel bekanntmachte? Und wer spielte sie?
26. Wie lange kämpfte Kahless mit seinem Bruder? Warum fand der Kampf statt? Wie hieß Kahless' Bruder?
27. Als Picard auf Kataan das Leben des Kamin durchlebte, war er verheiratet und hatte zwei Kinder. In welcher Stadt lebte er? Wie hieß seine Frau? Wie hießen seine Kinder?
28. In welchem Jahr wurde die U.S.S. Jenolen entdeckt?
29. Aus welchem Jahrhundert kamen die Vorgonen, die das Tox Uthat in ihre Gewalt bringen wollten?
30. In welchem Jahr kam Kadett Joshua Albert ums Leben?
31. In welchem Jahr starb Onna Karapleedez? Und wer war für den Tod verantwortlich?
32. ›In der Hand von Terroristen‹, *Star Trek: Treffen der Ge-*

nerationen und der Pilotfilm von *Babylon 5* werden durch eine Person verbunden. Um wen handelt es sich? Wie hießen die Rollen oder Funktionen in der Reihe der Titel?

33. Welche Rolle spielte James Lashly *in Next Generation*? Und in welcher Episode?
34. Wie hieß der Geistliche, der 2369 das klingonische Kloster auf Boreth leitete? Von wem wurde er gespielt? In welcher anderen *Star Trek*-Serie war dieser Schauspieler außerdem zu sehen?
35. Auf welchem Planeten findet man das Krocton-Segment? In welcher Verbindung steht es mit Senator Pardek?
36. Wer spielte die erste, geschlechtslose Version von Lal? In welcher früheren Episode war dieser Schauspieler schon einmal zu sehen? Wie hieß dort seine Rolle?
37. Wo wurden die Außenaufnahmen für ›Der Gott der Mintakaner‹ gedreht? Welcher Zusammenhang besteht zur *Classic*-Serie?
38. Was verbindet die Schauspieler Ken Thorley und Shelly Desai?
39. Als Barkeeper auf *Deep Space Nine* hatte er in *Next Generation* einen Gastauftritt. Wie heißt die Rolle? Wie heißt der Schauspieler? In welcher *Next Generation*-Episode war er zu sehen?
40. In welcher Episode hatte Isaac Newton einen Gastauftritt? Von wem wurde er gespielt?
41. Dieser Film sollte den Darsteller des Thadiun Okona berühmt machen, er fiel aber beim Publikum durch. Wie hieß der Film? Wie der Darsteller? In welcher Episode von *Next Generation* spielte er mit? Welche Nebendarstellerin in dieser Episode erhielt später eine weibliche Hauptrolle? In welcher Serie?
42. Wen spielte Pamela Segall? In welcher Episode?

43. In *Deep Space Nine* erhielt er die feste Rolle des Rom. Wen spielte er in *Next Generation*? In welchen Episoden? Und wie heißt der Schauspieler?
44. Er spielte in zwei Zweiteilern mit, einmal in *Classic*, einmal in *Next Generation*. Beide Male ist Leonard Nimoy mit von der Partie. Wie heißt der Schauspieler? Wie hießen seine Rollen? In welchen Episoden wirkte er mit?
45. Janeway ist zwar der Name der Commanderin der U.S.S. Voyager, aber in *Next Generation* tauchte der Name auch auf. In welcher Episode und in welchem Rang?
46. In *Space 2063* erhielt sie eine Hauptrolle. In *Next Generation* war sie in einigen Episoden in einer kleineren Rolle zu sehen. Wie heißt die Schauspielerin? Wie hieß die Rolle?
47. Wie oft war Dexter Remmick zu sehen? In welchen Episoden?
48. Sie war Saavik in *Star Trek III – Auf der Suche nach Mr. Spock* und *Zurück in die Gegenwart – Star Trek IV*. Wer ist sie? Wen spielte sie in welcher *Next Generation*-Episode?
49. In *Voyager* war er Chekotes Vater. Wer war er in *Next Generation*? Und wie heißt der Schauspieler?
50. Welchen Posten wollte Lieutenant Commander Shelby auf der Enterprise haben? Und wer sollte notfalls seinen Platz räumen?
51. In welchen Episoden wirkte die Tochter des Schauspielers Brian Dennehy mit? Und wie heißt sie?
52. Sie war in ›Die Illusion‹ in *Deep Space Nine* zu sehen und in ›Die imaginäre Freundin‹ in *Next Generation*. Wie heißt die junge Schauspielerin? Wie heißt ihre *Next Generation*-Rolle?
53. Wie hieß Clara Sutters Vater? Von wem wurde er gespielt?

54. Paul Winfield starb zweimal in *Star Trek*, einmal davon in *Next Generation*. Wie hieß seine Rolle in *Next Generation*? In welcher Episode von *Next Generation* war er zu sehen? Welchen anderen *Star Trek*-Auftritt hatte Winfield?
55. Wie hieß Dr. Timicins Tochter? Und wie hießen die Darsteller von Vater und Tochter?
56. Wer war Assistentin von Admiral Norah Satie, als die auf der Enterprise eine Untersuchung durchführte? Von wem wurde sie gespielt?
57. Julia Nickson war einmal in *Next Generation* und einmal in *Deep Space Nine* zu sehen. In jeweils welcher Episode? In jeweils welcher Rolle?
58. Zwei Schauspieler verbinden die *Cosby Show* mit *Next Generation*. Wer sind sie? Welche Rollen spielten sie? In welchen Episoden?
59. Wie heißt Tallera nach eigener Aussage wirklich? Für wen arbeitet sie angeblich?
60. Fionnula Flanagan spielte in *Deep Space Nine* in der Episode ›Der Fall ‚Dax'‹ mit. Welche Rolle hatte sie wenig später in einer *Next Generation*-Episode? Wie hieß diese Episode?
61. Wie hieß Rikers Captain auf der U.S.S. Pegasus? Welchen Rang bekleidet er in ›Das Pegasus-Projekt‹?
62. Von wem wurde der Vulkanier Taurik in ›Beförderungen‹ gespielt? Und in welcher anderen *Next Generation*-Episode hatte der Schauspieler zuvor mitgewirkt?
63. Welche beiden Ferengi spielte Lee Arenberg? In welchen Episoden? Und in welcher Rolle war er in welcher Episode von *Deep Space Nine* zu sehen?
64. In *Deep Space Nine* spielte er in ›Trekors Prophezeiung‹ den Vedek Yarka. Wen spielte er in *Next Generation*? In welcher Episode? Und wie heißt der Schauspieler?

65. Wer spielte den zweiten Q in ›Noch einmal Q‹? Aus welcher Serie war er durch welche Rolle vor allem bekannt?
66. Andreas Katsulas, der in ›Gedächtnisverlust‹ den romulanischen Botschafter Tomalak verkörperte. In welcher anderen Serie spielt er gleichfalls in einer festen Rolle einen Botschafter? Wie heißt seine Rolle dort? Zu welcher Rasse gehört er dort?
67. Er spielte Captain Rixx in ›Die Verschwörung‹ und war in einer kleinen Rolle auch im vierten *Star Trek*-Kinofilm zu sehen. Wie heißt der Schauspieler? Und wie heißen die beiden Horrorfilme, durch die er einem breiten Publikum bekannt wurde?
68. In Picket Fences war er regelmäßig als Michael Oslo zu sehen. Wie heißt der Schauspieler? Und welche Rolle spielte er in ›Galavorstellung‹?
69. Er war nie in *Next Generation* zu sehen. Aber wer jeden Auftritt von Jean-Luc Picard mitverfolgt hat, kennt auch ihn. Wie heißt der Schauspieler, der sich zuvor in der Rolle des Hawk einen Namen gemacht hatte? Und welche Rolle spielte er im *Star* Trek-Universum?
70. Vor ihrem *Next Generation*-Auftritt war sie als Ty Kajada in ›Der Parasit‹ in *Deep Space Nine* zu sehen gewesen. Wen spielte sie in *Next Generation*? In welchen Episoden? Wie heißt die Schauspielerin?
71. Wen spielten Matthew Collins, Mimi Collins, Thomas Alexander Dekker, Madison P. Dinton und Olivia Hack in *Star Trek: Treffen der Generationen*?
72. Als Horace Bing hatte er eine feste Rolle in *Dr. Quinn*. Um wen handelt es sich? Wen spielte er in welcher *Next Generation*-Episode?
73. Frank Corsentino war zweimal als Ferengi in *Next Generation* zu sehen. In welchen Episoden? Wie hieß die jeweilige Rolle?

74. Wen spielte Brian J. Cousins in ›So nah und doch so fern‹ und wen im Zweiteiler ›Angriff auf Borg‹?
75. Cox-Schwemme! Welcher Cox spielte wen in welcher Episode?
76. In welchen Rollen wirkte James Cromwell im *Star Trek*-Universum mit?
77. Von wem wurde Professor James Moriarty gespielt? Und in welcher Serie hatte dieser Schauspieler eine feste Rolle als Butler Niles?
78. In welcher anderen *Star Trek*-Serie war Tim deZarn nach seinem Auftritt in ›In der Hand von Terroristen‹ noch zu sehen? Wie hieß die Episode? Welchen Namen hatte seine Rolle?
79. Einem einzelnen Auftritt als Carmen Davila in *Next Generation* folgten bislang zwei *Voyager*-Auftritte. Wie heißt die Schauspielerin? In welcher *Next Generation*-Episode war sie zu sehen? Wie hieß ihre Rolle in *Voyager*? In welchen *Voyager*-Episoden?
80. Er war Commander Quinteros in ›11001001‹. Wie heißt der Schauspieler? Welche Rollen spielte er in welchen *Classic*-Episoden?
81. Aus welcher Serie war Ronnie Claire Edwards, die die Talur in ›Radioaktiv‹ spielte, vor allem bekannt? Wie hieß ihre Rolle?
82. Er wirkte im Pilotfilm zu *Babylon 5* mit, in *Deep Space Nine* war er in ›Die Suche, Teil I‹ in der Rolle des Ornithar zu sehen. Wen spielte er in *Next Generation*? Und in welcher Episode?
83. In *Voyager* war sie in ›Der Zeitstrom‹ die Libby, wer war sie in *Next Generation*? In welcher Episode? Wie heißt die Schauspielerin?
84. Wie oft war James Horan in *Next Generation* zu sehen? In welchen Rollen in welchen Episoden?
85. In *Deep Space Nine* machte sie sich einen Namen als

Captain Siskos Geliebte Kasidy Yates. In welcher Rolle war sie in *Next Generation* zu sehen? In welcher Episode? Wie heißt die Schauspielerin?

86. Michael Keenan war einmal bei *Next Generation* und bislang einmal bei *Voyager* zu Gast. In welchen Rollen und in welchen Episoden? In welcher Serie spielte er von 1992 bis 1993 einen Bürgermeister?
87. Im Zweiteiler ›Gefahr aus dem 19. Jahrhundert‹ spielte Pamela Kosh die Rolle der Mrs. Carmichael. In welcher anderen Rolle war sie noch in *Next Generation* zu sehen? Und in welcher Episode?
88. In der *Deep Space Nine*-Episode ›Die Legende von Dal'Rok‹ spielte er den Sirah. Wie heißt der Schauspieler? Wen spielte er in der Episode ›Die Reise ins Ungewisse‹?
89. Wen spielte Michael Lamper in welcher Episode? Und was verbindet ihn außer seiner Rolle mit *Next Generation*?
90. Wer spielt die Rolle der Flottenadmiralin Brackett?
91. In *Das A-Team* war er der vom Pech verfolgte Colonel Roderick Decker. Wie heißt der Schauspieler? Welche Rolle spielte er in welcher Episode von *Next Generation*?

DIE ANTWORTEN

Hinweis: Für jede richtig und vollständig beantwortete Frage gibt es einen Punkt. Mehrteilige Fragen gelten stets als eine Frage. Wurde eine komplette Sektion vollständig richtig beantwortet, wird ein Bonus von 5 Punkten gewährt.

Sektion 0001: Die Stars lassen bitten

1. ›Genesis‹
2. Nein, Michael Dorn und Brent Spiner führten auch nicht Regie
3. ›Mord im Bistro‹, ›Todesschüsse auf dem Anrufbeantworter‹; 1976, 1993
4. ›Datas erste Liebe‹
5. Dara, Ensign Ro Laren
6. LeVar Burton
7. 29. März 1959
8. *The Commitments, The Snapper, The Van*
9. 1982
10. Die beiden Schauspieler, Madge Sinclair und Ben Vereen, hatten zusammen mit LeVar Burton in *Roots* vor der Kamera gestanden
11. Jonathan Frakes
12. 1965
13. *Dame, König, As, Spion/Smileys Leute*; John LeCarré; Karla
14. Patrick Stewart
15. *Star Trek: Der erste Kontakt*
16. Columbus, Ohio
17. *Star Trek III - Auf der Suche nach Mr. Spock*
18. 22. März 1931
19. ›Number One‹ im ersten Star Trek-Pilotfilm ›Der Käfig‹
20. *As Young As We Were*; 1958

21. M. Leigh Hudec
22. 3. Dezember 1981
23. 1969
24. Houston, Texas
25. Magenta
26. ›Ort der Finsternis‹
27. 23. Februar 1930
28. *Familienbande*, dort hatte er von 1982 bis 1985 die Rolle des Andrew Keaton gespielt
29. 16. Februar 1957
30. Landstuhl, Deutschland
31. *Roots*; Kunta Kinte
32. Gloria Rand
33. *Reading Rainbow*
34. *Stardust Memories*
35. 13. Juli 1940
36. Robert Justman, den er bei den Dreharbeiten zum Fernsehfilm *Notarzt Dr. Sullivan* kennengelernt hatte
37. Alfred Stewart
38. Vancouver, Kanada
39. *Mauern des Schweigens*
40. *Jeder Kopf hat seinen Preis*
41. John DeLancie
42. 24. November 1958
43. Sheila Falconer
44. 29. Juli 1972
45. Denise Michelle Crosby
46. sie ist die uneheliche Tochter von Dennis Crosby, dem Sohn von Bing Crosby aus dessen erster Ehe
47. *Solo für U.N.C.L.E.*
48. *Zombies of the Stratosphere*
49. *Nur 48 Stunden*
50. *Die Zerstörer*
51. *Friedhof der Kuscheltiere*
52. Eugene Bradford in *Zeit der Sehnsucht*
53. 15. Oktober 1928
54. 3. März 1920

55. Jonathan Frakes
56. Philadelphia, Pennsylvania
57. 1961
58. einmal, in ›Tödliche Nachfolge‹
59. es handelt es sich um Marnie Mosiman, Ehefrau von John ›Q‹ DeLancie
60. Torrance, Kalifornien
61. *Loaded Weapon I*
62. *Ich bin Spock*
63. Luling, Texas
64. Bethlehem, Pennsylvania
65. Richard William Wheaton III.
66. mit der Schauspielerin Genie Francis
67. als er in der Maske des Comic-Superhelden Captain America für den Marvel-Verlag durch die USA reiste und dabei in Supermärkten und anderen Geschäften auftrat
68. in vier (›Das Duplikat‹, ›Die ungleichen Brüder‹, ›Angriff auf Borg, Teil 1 und Teil 2‹)
69. Cheryl McFadden
70. *Independence Day, Phenomenon*
71. er spielte einen Homosexuellen
72. Paris
73. 13. November 1949
74. *Filofax oder Ich bin du und du bist nichts*
75. Dublin, Irland
76. *Stirb langsam II*
77. *Angst in der Nacht*
78. Chelsea, New York
79. *Robin Hood – Helden in Strumpfhosen*
80. Caryn Johnson
81. *Die Farbe Lila*
82. für die beste weibliche Nebenrolle in *Ghost – Nachricht von Sam*
83. sie moderierte als erste Frau und zugleich als erste Farbige die Oscar-Verleihung
84. 19. August 1943
85. Priester Colum Terrence O'Hara

86. Cuyahoga Falls, Ohio
87. *Bagdad Café*
88. *Jumpin' Jack Flash*
89. ›Mord im Bistro‹
90. in der zweiten
91. 13 Jahre
92. *Loaded Weapon I*
93. 20. Januar 1920
94. Hollywood, Kalifornien
95. 26. März 1931
96. seit dem 7. September 1945; mit Carolyn Dowling
97. John Hoyt, Paul Fix
98. *L.A. Law*
99. 14. September 1936
100. *Z Cars*
101. *Die Muppets erobern Manhattan* (vor der Kamera) und *Die Reise ins Labyrinth* (hinter der Kamera)
102. Diana Muldaur
103. 30. Mai 1953
104. Chicago, Illinois
105. 2. März 1949
106. *Alarmstufe: Rot*
107. New York City
108. 1954
109. *Der Balkon*
110. *I Am Not Spock*
111. 1989
112. ›Zwei Leben an einem Faden‹
113. Montreal, Kanada
114. Marcy Lafferty
115. mit der Schauspielerin Judith Ann Levitt
116. *Star Trek V – The Final Frontier*
117. Boston, Massachusetts
118. *Loaded Weapon I*
119. *Die Küste der Ganoven*
120. Walter Bascom
121. Er spielte in *Star Trek – Deep Space Nine* mit

122. Nord-London
123. Tasha Yar
124. *Blind Date*
125. 2. Februar 1949
126. ›Ol' Yellow Eyes Is Back‹
127. John Steuer
128. Mirfield, Yorkshire, England
129. *Der Wüstenplanet*; Gurney Halleck
130. Robert Justman
131. Burbank, Kalifornien
132. *Stand by Me – Das Geheimnis eines Sommers*
133. ›Gefährliche Spielsucht‹
134. Alfred Bester
135. *Classic*: als romulanischer Commander in ›Spock unter Verdacht‹ und als Sarek in ›Reise nach Babel‹, *Filme*: klingonischer Commander in *Star Trek – Der Film*, Sarek in *Star Trek III – Auf der Suche nach Mr. Spock, Zurück in die Gegenwart – Star Trek IV, Star Trek VI – Das unentdeckte Land*
136. Urko
137. Next Generation-Produzent Michael Piller
138. *CHiPs*
139. in Texas
140. 19. August 1953
141. 20. März 1948
142. 9. Dezember 1952
143. Stanley Hazard
144. Chicago
145. Atlanta, Georgia
146. *Zeit der Sehnsucht*; Eugene
147. ›Point of No Return‹

Gesamtpunktzahl: 147 Punkte und 5 Bonuspunkte

Eigene Punktzahl: ☐

Sektion 0002: In welcher Episode... (Untersektion 1)

1. Wem gehört Data?
2. Genesis
3. Die schwarze Seele
4. Die Seuche
5. Die neutrale Zone
6. Datas Tag
7. Zeitsprung mit Q
8. Am Ende der Reise
9. Am Ende der Reise
10. Interface

Gesamtpunktzahl: 10 Punkte und 5 Bonuspunkte

Eigene Punktzahl: 4

Sektion 0003: Irgendwo im All... (Untersektion 1)

1. I
2. K
3. J
4. L
5. M
6. N
7. A
8. O
9. P
10. B
11. D
12. C
13. E
14. H
15. G
16. F

Gesamtpunktzahl: 16 Punkte und 5 Bonuspunkte

Eigene Punktzahl: 1

Sektion 0004: Alle Zeit der Sterne (Untersektion 1)

1. L
2. B
3. K
4. J
5. A
6. M
7. H
8. G
9. C
10. F
11. I
12. D
13. E

Gesamtpunktzahl: 13 Punkte und 5 Bonuspunkte

Eigene Punktzahl: 0

Sektion 0005: Aus den Personalakten

1. 2327
2. Acht Jahre
3. Durango
4. Alexander Rozhenko und Reginald Barclay
5. drei Jahre
6. 2324
7. dem romulanischen Centurion Bochra
8. 2348
9. Lieutenant
10. Beverly Crusher, Worf
11. Howard
12. Jack Crusher
13. Locutus von Borg
14. Brautvater
15. er stirbt
16. Eline
17. Ressik
18. 2364
19. Bruder Tuck
20. weil Lieutenant Monroe bei der zweiten Kollision ums Leben kam
21. Eric-Christopher und Shannara
22. seine Posaune
23. Eismann
24. Lieutenant Minnerly
25. 2349
26. Will Scarlett
27. gar keine, er war zu der Zeit nicht mehr auf dem Schiff
28. Dr. Kate Pulaski
29. mit einem Ford Model A, Baujahr 1927
30. durch die Untersuchungen nach dem Verlust der Stargazer, die sie gegen ihn leitete
31. »Ich bin kein fröhlicher Geselle.«
32. weil er als Kind ein miserabler Schwimmer war
33. 2338

34. eine Draebidium calimus
35. eine Draebidium calimus
36. Dr. Noonien Soong
37. 2359
38. Albert Einstein, Stephen Hawking, Isaac Newton
39. 2367
40. ›Am Ende der Reise‹
41. 2364
42. Alan-a-Dale
43. 2366
44. 2369
45. 2269
46. 2305
47. 2340
48. 2333–2355
49. 2340

Gesamtpunktzahl: 14 Punkte und 5 Bonuspunkte

Eigene Punktzahl: 10

Sektion 0006: Wer schrieb das Drehbuch zu ... (Untersektion 1)

1. H	5. I	9. M	13. E
2. K	6. L	10. C	
3. G	7. B	11. D	
4. A	8. J	12. F	

Gesamtpunktzahl: 13 Punkte und 5 Bonuspunkte

Eigene Punktzahl: 1

Sektion 0007: Raumschiffklassen (Untersektion 1)

1. F
2. E
3. I
4. G
5. H
6. J
7. A
8. L
9. K
10. B
11. C
12. D
13. M
14. N

Gesamtpunktzahl: 14 Punkte und 5 Bonuspunkte

Eigene Punktzahl: 

Sektion 0008: Alle Zeit der Sterne (Untersektion 2)

1. F
2. H
3. I
4. G
5. K
6. A
7. M
8. B
9. J
10. E
11. D
12. L
13. C

Gesamtpunktzahl: 13 Punkte und 5 Bonuspunkte

Eigene Punktzahl: 

Sektion 0009: Nächste Haltestelle Sternenbasis 34B

1. Sternenbasis 67
2. Sternenbasis 73
3. Admiral Moore
4. Commander Orfil Quinteros
5. Sternenbasis 123
6. Sternenbasis 152
7. Sternenbasis 153
8. Sternenbasis 157
9. Sternenbasis 179
10. 2 Jahre, 7 Monate

11. Sternenbasis 214
12. Sternenbasis 218
13. Sternenbasis 234
14. Sternenbasis Lya III
15. Sternenbasis 313
16. Sternenbasis 336
17. Sternenbasis 343
18. Erdstation Brobuisk
19. Sternenbasis 416
20. Sternenbasis 234
21. Die Sternenbasis wurde nach der Pilotin Amelia Earhart benannt, die wiederum in *Voyager* in der Episode ›Die 37er‹ zu sehen war.
22. Sternenbasis 234
23. Jupiter-Außenposten 92

Gesamtpunktzahl: 23 Punkte und 5 Bonuspunkte

Eigene Punktzahl: [ ]

Sektion 0010: In welcher Episode ... (Untersektion 2)

1. Die Damen Troi
2. Der Reisende
3. Die Sünden des Vaters
4. Der Kampf um das klingonische Reich I
5. Der Moment der Erkenntnis, Teil 1
6. Der einzige Überlebende
7. Wiedervereinigung?, Teil 2
8. So nah und doch so fern
9. Der schüchterne Reginald
10. Erwachsene Kinder
11. Mission Farpoint/Der Mächtige

Gesamtpunktzahl: 11 Punkte und 5 Bonuspunkte

Eigene Punktzahl: [3]

**Sektion 0011: Wer schrieb das Drehbuch zu...
(Untersektion 2)**

1. B
2. D
3. F
4. H
5. J
6. L
7. M
8. K

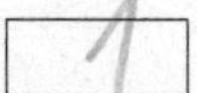

9. I
10. G
11. E
12. C
13. A

Gesamtpunktzahl: 13 Punkte und 5 Bonuspunkte

Eigene Punktzahl: 1

**Sektion 0012: Planeten, Systeme und andere Orte
(Untersektion 1)**

1. Vagra II
2. Deneb IV
3. Styris IV
4. Armus IX
5. Acamar III
6. Orelious IX
7. Ghorusda
8. Adelphous IV
9. Epsilon Mynos
10. Alpha Omicron-System
11. Alpha Onias III
12. Altair III
13. Altec und Straleb
14. Anchilles-Fieber
15. Angel One
16. zur Romulanischen Neutralen Zone
17. den tarsianischen Krieg
18. Tanuga IV
19. Archer IV
20. Melona IV
21. Ventax II
22. Septimus Minor
23. Atalia VII
24. 'audet IX
25. Delta-Quadrant
26. Halii
27. Moab IV
28. Selcundi Drema
29. Bersallis III
30. Castal I
31. Hytritium
32. Beta Kupsic
33. in klingonischem Territorium
34. Beta Lankal
35. Beta Magellan
36. Beta Renna-System
37. Beta Thoridar
38. Betazed
39. Beth Delta I
40. Veridian III

41. Deinonychus VII
42. Bilana III
43. den Planeten Lemma II
44. Bilaren-System
45. Sarona VII
46. Bolarus IX
47. Boreal III
48. Boreth
49. J-25
50. Bei Wolf 359
51. Ohniaka III
52. Auf Borka IV
53. Braslota-System
54. Bre'el IV
55. Brekka
56. Ficus-Sektor
57. Calgary, Kanada
58. Carraya-System
59. alle sieben Jahre
60. Celtris III
61. Chalna
62. Betazed
63. Theta 116
64. Solais V
65. auf Vandor IX
66. Aaron Conor
67. Angosia III
68. Danula II
69. Shantil III
70. Rekag-Seronia
71. Gagarin IV
72. in der Omicron Theta-Kolonie
73. El-Adrel IV

Gesamtpunktzahl: 73 Punkte und 5 Bonuspunkte

Eigene Punktzahl: 2

Sektion 0013: Alle Zeit der Sterne (Untersektion 3)

1. B
2. D
3. C
4. K
5. L
6. A
7. E
8. H
9. I
10. G
11. F
12. J

Gesamtpunktzahl: 12 Punkte und 5 Bonuspunkte

Eigene Punktzahl: 0

Sektion 0014: Planeten und ihre Episoden (Untersektion 1)

1. E
2. B
3. H
4. F
5. A
6. G
7. L
8. K
9. J
10. I
11. C
12. M
13. N
14. D

Gesamtpunktzahl: 14 Punkte und 5 Bonuspunkte

Eigene Punktzahl: 0

Sektion 0015: Es war einmal ... nur wann?

1. 2369
2. 2366
3. 19. Jahrhundert
4. 2367
5. 2366
6. 2255
7. 2366
8. 2366
9. 2328
10. 2339
11. 2369
12. 2366
13. 2369
14. 2364
15. 2368
16. 2365
17. 2368
18. 2367, in der Schlacht gegen die Borg
19. 2367 bei Wolf 359
20. 2331
21. 2369
22. 2365
23. 2366
24. 2369
25. 2368
26. 2367
27. 2366
28. 2366
29. 2367
30. 23. Juli 2037
31. 2347
32. 2365
33. 2352
34. 2196
35. 2366
36. 27. Jahrhundert
37. 2365
38. 2123
39. 2294
40. 2363
41. 2167
42. 2367
43. 2366
44. 2161
45. 2366

46. 2365
47. 2368
48. 2369
49. 2368
50. 2314–2364
51. 2369
52. 2294
53. 2367
54. 2364
55. 2364
56. 2365
57. 2364
58. 2365
59. 27. November 2123
60. 2336
61. 2367
62. 2366
63. 2168
64. 2368
65. 2369
66. 2361
67. 2369
68. 2369
69. 2369
70. 2366
71. sechs Jahre
72. 2367
73. 2369
74. 2325
75. aus dem 26. Jahrhundert
76. aus dem 22. Jahrhundert
77. 35
78. 2364
79. 20 Jahre
80. 2369
81. 2365
82. 2255
83. 2167
84. 2369
85. 2161
86. 2354
87. 2366
88. 2311
89. 2366
90. 2368
91. 2367
92. 2342
93. 1647
94. 87 Millionen Jahre

Gesamtpunktzahl: 94 Punkte und 5 Bonuspunkte

Eigene Punktzahl: [ ]

Sektion 0016: In welcher Episode ... (Untersektion 3)

1. 11001001
2. Gestern, heute, morgen
3. Interface
4. Sherlock Data Holmes, Das Schiff in der Flasche

5. Familienbegegnung; Miles Edward
6. Der unbekannte Schatten
7. Die Soliton-Welle
8. Das Kind
9. Traumanalyse
10. Interface
11. Die Rückkehr von Ro Laren

Gesamtpunktzahl: 11 Punkte und 5 Bonuspunkte

Eigene Punktzahl: [ ]

Sektion 0017: Wer schrieb das Drehbuch zu ... (Untersektion 3)

1. E	4. H	7. A	10. D
2. F	5. G	8. B	11. C
3. I	6. J	9. K	

Gesamtpunktzahl: 11 Punkte und 5 Bonuspunkte

Eigene Punktzahl: [ ]

Sektion 0018: Alle Zeit der Sterne (Untersektion 4)

1. E	5. K	9. C	13. I
2. L	6. G	10. D	
3. F	7. B	11. H	
4. A	8. J	12. M	

Gesamtpunktzahl: 13 Punkte und 5 Bonuspunkte

Eigene Punktzahl: [ ]

Sektion 0019: Rollen-Spiele (Untersektion 1)

1. Hagon
2. die Episode ›Ritus des Aufsteigens‹, in der Alexander aus der Zukunft einen Beweis mitbringt, daß Lursa dort einen Sohn hat
3. durch einen Baryonen-Reinigungsstrahl
4. Dobara
5. auf der Erde
6. Roger Maris
7. ›Melor Famagal‹
8. New Jersey
9. Quantenmathematik
10. sie war ein Mitglied des Q-Kontinuums
11. ein Drittel
12. New Martim Vaz
13. Danilo Odell
14. den ›Einen‹
15. The Fatal Revenge
16. Finoplak
17. Weil er Dr. Reyga diskreditieren wollte, um so die Technologie des metaphasischen Schilds stehlen zu können
18. ein Föderationsarchäologe
19. in einen klabnianischen Aal
20. T'Acog
21. weil die Siedler auf Omicron Theta in ihm eine Gefahr sahen
22. fast zwei Jahre
23. Colonel Stephen Richey
24. Stellare Kartographie
25. Hugh
26. Glin Corak
27. 16 Jahre
28. Subhadar
29. Er wurde überraschend Erster
30. Kal Dano
31. Dom-jot

32. DaiMon Prak
33. Barclay
34. Jessica Bradley
35. A. F.
36. Joshua Albert
37. Nicholas Locarno
38. Darson
39. Deanna Troi
40. sie waren Allasomorphen
41. Daled IV
42. Daled IV
43. Yanar vom Planeten Altec
44. Dr. Reyga
45. Vier
46. Ensign Tess Allenby
47. Mutter: Klingonin Gi'ral; Vater: Romulaner Tokath
48. Professor Richard Galen
49. Jarth
50. Commander Bloom von der Yorktown
51. Brüssel
52. Riker
53. Dr. Nel Apgar selbst, da sein Versuch, Riker zu töten, auf ihn zurückschlug
54. Mauna Apgar
55. mehr als vierzig
56. dreimal, ›Familienbegegnungen‹, ›Geistige Gewalt‹, ›Am Ende der Reise‹
57. Mauna Apgar, die Ehefrau des Getöteten
58. Toral
59. K'mpec
60. Ardra
61. Lieutenant Commadner Argyle
62. Ariana
63. von der Tarellianerin Ariana
64. Ramsey
65. Natasha Yar
66. Jeff Arton

67. die romulanische Subcommanderin Selok
68. Worf
69. Dr. Balthus
70. Mr. Mot
71. 1200
72. Lt. Reginald Endicott Barclay III.
73. Countess Regina Bartholomew
74. Lieutenant Dan Bell
75. Jessica Bradley
76. Bjorn Bensen
77. Berel
78. weil er sich geweigert hatte, Rikers Leben aufs Spiel zu setzen, obwohl der Sicherheitsdienst des Planeten ihn verhören wollte
79. B'Etor und Lursa
80. B'Etor
81. Toral
82. Paul Bogrow, ein Besatzungsmitglied der U.S.S. Victory
83. Worf
84. Cyrus Redblock
85. Admiral Brand
86. Broccoli
87. Briam
88. Kanzler Alrik
89. Bractor
90. Kareen Brianon
91. Danilo Odell
92. Brink
93. Marc Brooks
94. Chief Brossmer
95. Admiral Butrow
96. Edward Jellico
97. Minister Campio
98. Dr. Van Doren
99. Mrs. Carmichael
100. Captain Rachel Garrett
101. mit der Vulkanierin Dr. T'Pan

102. Dr. Howard Clark
103. Mark Twain
104. Claire Raymond, Sonny Clemonds, Ralph Offenhouse
105. Stellare Kartographie
106. sie war eine talentierte Pianistin
107. Dr. Sara Kingsley
108. Admiral
109. Captain Donald Varley
110. Ensign Dern
111. Ensign Stefan DeSeve
112. Captain Robert DeSoto
113. Admiral Mendak
114. Liam Dieghan
115. Dirgo

Gesamtpunktzahl: 115 Punkte und 5 Bonuspunkte

Eigene Punktzahl: [ ]

Sektion 0020: Wer schrieb das Drehbuch zu ... (Untersektion 4)

1. E
2. K
3. D
4. J
5. C
6. M
7. I
8. B
9. H
10. A
11. G
12. L
13. F

Gesamtpunktzahl: 13 Punkte und 5 Bonuspunkte

Eigene Punktzahl: [ ]

Sektion 0021: Irgendwo im All ... (Untersektion 2)

1. J	5. I	9. G	13. F
2. C	6. H	10. A	14. O
3. K	7. D	11. M	15. N
4. B	8. L	12. P	16. E

Gesamtpunktzahl: 16 Punkte und 5 Bonuspunkte

Eigene Punktzahl: 2

Sektion 0022: tlhIngan maH! (Untersektion 1)

1. D	4. F	7. J	10. B
2. G	5. A	8. K	11. C
3. E	6. H	9. I	

Gesamtpunktzahl: 11 Punkte und 5 Bonuspunkte

Eigene Punktzahl: 0

Sektion 0023: In welcher Episode ... (Untersektion 4)

1. Begegnung mit der Vergangenheit
2. Datas Tag
3. Klingonenbegegnung
4. Datas Tag
5. Zeitsprung mit Q, Das Herz eines Captains
6. Odan, der Sonderbotschafter
7. Datas Tag
8. Gedächtnisverlust
9. Willkommen im Leben nach dem Tode

10. Ritus des Aufsteigens
11. Familienbegegnung, Die Soliton-Welle

Gesamtpunktzahl: 11 Punkte und 5 Bonuspunkte

Eigene Punktzahl: 2

Sektion 0024: Alle Zeit der Sterne (Untersektion 5)

1. G
2. I
3. L
4. E
5. F
6. J
7. A
8. K
9. H
10. B
11. D
12. C
13. M

Gesamtpunktzahl: 13 Punkte und 5 Bonuspunkte

Eigene Punktzahl:

Sektion 0025: Planeten und ihre Episoden (Untersektion 2)

1. F
2. H
3. G
4. N
5. M
6. A
7. L
8. B
9. I
10. C
11. J
12. K
13. D
14. E

Gesamtpunktzahl: 14 Punkte und 5 Bonuspunkte

Eigene Punktzahl:

Sektion 0026: Dreierlei (Untersektion 1)

1. I e	4. D g	7. C b	10. J c
2. G d	5. F a	8. B l	11. A. j
3. E f	6. H h	9. L k	12. K i

Gesamtpunktzahl: 12 Punkte und 5 Bonuspunkte

Eigene Punktzahl: ☐

Sektion 0027: Wer schrieb das Drehbuch zu... (Untersektion 5)

1. B	5. D	9. M	13. F
2. H	6. K	10. L	
3. G	7. J	11. C	
4. I	8. E	12. A	

Gesamtpunktzahl: 13 Punkte und 5 Bonuspunkte

Eigene Punktzahl: ☐

Sektion 0028: Alle Zeit der Sterne (Untersektion 6)

1. A	5. G	9. D	13. B
2. M	6. C	10. F	
3. E	7. J	11. I	
4. L	8. K	12. H	

Gesamtpunktzahl: 13 Punkte und 5 Bonuspunkte

Eigene Punktzahl: ☐

Sektion 0029: Querbeet

1. Nicholas Sagan
2. Skant
3. der Frachter Batris in ›Worfs Brüder‹ war ein modifiziertes Modell eines Raumschiffs aus *V*
4. Die Schauspieler Kelsey Grammer, der Captain Morgan Bateson in ›Déjà Vu‹ spielte, und Bebe Neuwirth, die in ›Erster Kontakt‹ die Lanel spielte, waren in der Serie *Cheers* als Psychiaterehepaar Crane zu sehen.
5. Jerry Goldsmith
6. Griffith Park, Los Angeles
7. *Roots - Das Geschenk der Freiheit*, LeVar Burton, Avery Brooks, Kate Mulgrew und Tim Russ spielten dort mit
8. Alexander Courage, Jerry Goldsmith
9. ›Die Verschwörung‹
10. Anbo-jytsu
11. Nach der Regieassistentin Adele Simmons
12. Deadwood
13. Universal Studios
14. Apnex-See
15. 372
16. Er aktivierte die Selbstzerstörung.
17. *Classic*: drei Offiziere, *Next Generation*: zwei Offiziere
18. Barokie
19. 90 Jahre
20. acht
21. ›Der große Abschied‹
22. das Borg-Kollektiv
23. Maurice Hurley
24. 39
25. etwa 11 000
26. Der Maquis
27. ›Cold Moon Over Blackwater‹
28. 11 000
29. Freeman Dyson
30. die Erselrope-Kriege

31. drei Jahre, neun Monate
32. Föderationstag
33. einmal, in der Episode ›Verdächtigungen‹; in ›Das Schiff in der Flasche‹ wurde lediglich auf dem Holodeck eine Justman simuliert
34. mit einem el-Mitra-Tausch
35. das Diagramm, das einen Querschnitt des Schiffs zeigt. Während das Schiff über eine Wulst am Bug verfügt, fehlt diese Wulst auf dem Diagramm (weil die Innenaufnahmen gedreht wurden, bevor das Modell gebaut worden war)
36. ›Der lachende Vulkanier und sein Hund‹
37. ›Ein Sommernachtstraum‹
38. sie wollten eine perfekte Gesellschaft erreichen
39. Sherlock Holmes
40. Sir Arthur Conan Doyle
41. um die wissenschaftlichen Informationen zu erhalten, die von den Forschern zurückgelassen worden waren
42. New Berlin
43. 900
44. 274
45. ›The Parrot's Claw‹
46. nach Captain Christopher Pike, dem Captain der Enterprise im ersten *Classic*-Pilotfilm
47. die Behandlung von Kriegsgefangenen
48. *Star Trek III – Auf der Suche nach Mr. Spock*
49. Sherlock Holmes-Programm 3A
50. Baseball
51. die Föderation und die Romulaner
52. einen Kuchen
53. ›Kampf von HarOS‹
54. 4 Lichtjahre
55. 285 000
56. eine Tarnvorrichtung, die es dem Schiff ermöglicht, feste Materie zu durchdringen
57. Es ist mehr als unwahrscheinlich, daß sich von Jessel Howard an bis ins 24. Jahrhundert der Name Howard ge-

halten haben sollte. Beverly Crusher, die ihrerseits eine geborene Howard ist, dürfte eigentlich nicht den Mädchennamen Howard haben, da ihre Großmutter Howard hieß, nicht aber ihre Mutter. Selbst wenn man davon ausgehen sollte, daß es im 24. Jahrhundert ein deutlich anderes Namensrecht geben kann, so ist das für die Zeit von 1647 bis zur Gegenwart kaum anzunehmen.

58. in ›Am Ende der Reise‹ gibt es ein Wiedersehen mit Jack Crusher aus ›Familienbegegnung‹ und mit dem Reisenden aus ›Der Reisende‹
59. Dr. Beverly Crusher
60. zwei
61. Dom Perignon von 2265
62. Trilithium
63. für unnormal
64. auf die U.S.S. Farragut
65. Butler
66. NFT-7793
67. die Kes
68. zehn
69. Forcas III
70. Data
71. Zed-Lapis-Sektor
72. Dienstag
73. Ned Romero, in beiden Episoden war er Gaststar
74. am 18. November 1994
75. 47
76. er spielte in den Episoden ›Planeten-Killer‹ und ›Die unsichtbare Falle‹ mit
77. Montgomery Scott
78. Deck 15, Sektion 21 Alpha

Gesamtpunktzahl: 78 Punkte und 5 Bonuspunkte

Eigene Punktzahl:

Sektion 0030: In welcher Episode ... (Untersektion 5)

1. Die Überlebenden auf Rana-Vier
2. Geheime Mission auf Seltris, Teil 1
3. Das Herz eines Captains
4. Der große Abschied, Gefahr aus dem 19. Jahrhundert, Teil 2
5. Auf schmalem Grat
6. Die Sorge der Aldeaner
7. Die Iconia-Sonden
8. Rikers Vater
9. Ein Planet wehrt sich
10. Der große Abschied
11. Tödliche Nachfolge

Gesamtpunktzahl: 11 Punkte und 5 Bonuspunkte

Eigene Punktzahl: ☐

Sektion 0031: Raumschiffklassen (Untersektion 2)

1. F	5. D	9. B	13. L
2. M	6. C	10. N	14. A
3. E	7. J	11. G	
4. K	8. I	12. H	

Gesamtpunktzahl: 14 Punkte und 5 Bonuspunkte

Eigene Punktzahl: ☐

Sektion 0032: Wie lautet die Registriernummer ... (Untersektion 1)

1. NCC-2893
2. NCC-72015
3. NCC-21382
4. NCC-65530
5. NCC-62095
6. NCC-37124
7. NCC-19386
8. NCC-53911
9. NAR-18834
10. NCC-9754
11. NCC-28473
12. NCC-71807
13. NCC-19002
14. NCC-62136
15. NCC-26849
16. NCC-11574
17. NCC-62158
18. NCC-45167
19. NCC-1941
20. NX-72307
21. NCC-21166
22. NCC-57580
23. NCC-42285
24. NCC-20381
25. NCC-71805
26. NDT-50863

Gesamtpunktzahl: 26 Punkte und 5 Bonuspunkte

Eigene Punktzahl: ☐

Sektion 0033: Wer schrieb das Drehbuch zu ... (Untersektion 6)

1. I
2. A
3. G
4. H
5. M
6. L
7. B
8. F
9. C
10. K
11. D
12. E
13. J

Gesamtpunktzahl: 13 Punkte und 5 Bonuspunkte

Eigene Punktzahl: ☐

Sektion 0034: Alle Zeit der Sterne (Untersektion 7)

1. J
2. B
3. C
4. L
5. K
6. D
7. E
8. M
9. F
10. G
11. A
12. I
13. H

Gesamtpunktzahl: 13 Punkte und 5 Bonuspunkte

Eigene Punktzahl: ☐

Sektion 0035: Wort und Bild

1. *Die Friedenswächter*
2. *Relikte*
3. J. M. Dillard
4. Hethke
5. David Bischoff
6. Diane Carey
7. *Metamorphose*
8. *Die Kinder von Hamlin*
9. *Eine Lektion in Liebe*
10. Carmen Carter/Peter David/Michael Jan Friedman/Bob Greenberger
11. Kirlos
12. *Imzadi*
13. *Die Damen Troi*
14. die Klingonen
15. vor der zweiten
16. *Vendetta*
17. *Dunkler Spiegel*; Diane Duane
18. in der vierten
19. Tenara

20. Er heißt Sejanus; so hieß Patrick Stewarts Rolle in *Ich, Claudius, Kaiser und Gott*
21. ›Die schwarze Seele‹
22. Imprima
23. Michael Jan Friedman
24. *Wieder vereint*
25. David Gerrold
26. V. E. Mitchell
27. John Peel
28. ›Erwachsene Kinder‹
29. U.S.S. Huxley; 10 Jahre
30. Pampart
31. Jeri Taylor
32. Lynn Costa
33. Lorca
34. John Vornholt
35. Alaj und Etolos
36. Thiopa
37. Phil Farrand
38. *... wo noch kein Mensch vorher war*
39. Sternenbasis 33
40. Faltos
41. DC
42. DC
43. *Rückkehr nach Raimon*
44. Nr. 5
45. *Die Wurmlochfalle*
46. *Die Rückkehr nach Modala*
47. die U.S.S. Nairobi
48. Grindelwald
49. in dem Dreiteiler bestehend aus *Shore Leave in Shanzibar!, Consorting with the Devil!* und *Dirty Work!*
50. Q^2
51. Er wich als erster Filmroman vom Filmtitel *Treffen der Generationen* ab
52. Michael Jan Friedman
53. Velex

54. Nikolai Valentinovitch Yermakov
55. John Vornholt

Gesamtpunktzahl: 55 Punkte und 5 Bonuspunkte

Eigene Punktzahl: ☐

Sektion 0036: In welcher Episode ... (Untersektion 6)

1. Familienbegegnung
2. Wer ist John?
3. Gedächtnisverlust
4. Der Überläufer
5. Der Pakt mit dem Teufel
6. Wiedervereinigung?, Teil 1
7. Déjà Vu
8. Das Pegasus-Projekt
9. Der Fall ›Utopia Planitia‹
10. Gefährliche Spielsucht
11. Die Raumkatastrophe

Gesamtpunktzahl: 11 Punkte und 5 Bonuspunkte

Eigene Punktzahl: ☐

Sektion 0037: Planeten und ihre Episoden (Untersektion 3)

1. J
2. H
3. E
4. G
5. F
6. A
7. K
8. I
9. L
10. M
11. N
12. B
13. D
14. C

Gesamtpunktzahl: 14 Punkte und 5 Bonuspunkte

Eigene Punktzahl: ☐

Sektion 0038: Technik und Techniken

1. Eine Strategie im 3-D-Schach
2. Antimaterie-Minen
3. eine schwache Antiprotonen-Spur
4. Anionen-Emitter
5. künstliche Quantensingularität
6. Man kann sie anders als beispielsweise einen Warpantrieb nicht wieder abschalten, wenn sie erst einmal aktiviert worden ist.
7. Warbird Typ B
8. Dr. Ja'Dar
9. Theta-Flux-Strahlung
10. Eine Waffe
11. 200 Milliliter
12. Dentarium
13. Echo Papa 607
14. Fistrium
15. Humuhumunukunukuapua'a
16. weil es zu instabil ist
17. ein natürliches Nebenprodukt aus dem Zerfall von Dilithium
18. Trilithium-Harz
19. Millicochrane
20. 275

Gesamtpunktzahl: 20 Punkte und 5 Bonuspunkte

Eigene Punktzahl: ☐

Sektion 0039: Wohin im Trek-Universum?

1. Adelman Neurological Institut
2. Atlantis-Projekt
3. Café des Artistes
4. Utopia Planitia
5. Hotel Brian
6. The Low Note
7. New Orleans

Gesamtpunktzahl: 7 Punkte und 5 Bonuspunkte

Eigene Punktzahl: ☐

Sektion 0040: Wer schrieb das Drehbuch zu ... (Untersektion 7)

1. B	5. D	9. A	13. H
2. M	6. E	10. I	
3. C	7. L	11. G	
4. K	8. J	12. F	

Gesamtpunktzahl: 13 Punkte und 5 Bonuspunkte

Eigene Punktzahl: ☐

Sektion 0041: Alle Zeit der Sterne (Untersektion 8)

1. C	5. F	9. E	13. J
2. G	6. A	10. I	
3. B	7. M	11. D	
4. L	8. K	12. H	

Gesamtpunktzahl: 13 Punkte und 5 Bonuspunkte

Eigene Punktzahl: ☐

Sektion 0042: tlhIngan maH! (Untersektion 2)

1. H	4. A	7. B	10. D
2. E	5. F	8. C	11. G
3. I	6. J	9. K	

Gesamtpunktzahl: 11 Punkte und 5 Bonuspunkte

Eigene Punktzahl: ☐

Sektion 0043: In welcher Episode ... (Untersektion 7)

1. Ort der Finsternis
2. Traumanalyse
3. Todesangst beim Beamen
4. Der zeitreisende Historiker, Die Soliton-Welle, Der einzige Überlebende, Die imaginäre Freundin
5. Die Sorge der Aldeaner, Gefahr aus dem 19. Jahrhundert, Teil 1 und 2
6. Die letzte Mission, Das kosmische Band
7. Soongs Vermächtnis
8. Der schüchterne Reginald
9. Riker : 2 = ?
10. Traumanalyse
11. Radioaktiv

Gesamtpunktzahl: 11 Punkte und 5 Bonuspunkte

Eigene Punktzahl: ☐

Sektion 0044: Wer schrieb das Drehbuch zu ... (Untersektion 8)

1. F
2. L
3. A
4. K
5. B
6. J
7. C
8. G
9. D
10. I
11. E
12. M
13. H

Gesamtpunktzahl: 13 Punkte und 5 Bonuspunkte

Eigene Punktzahl: [ ]

Sektion 0045: Irgendwo im All ... (Untersektion 3)

1. J
2. C
3. P
4. D
5. I
6. B
7. O
8. K
9. L
10. H
11. A
12. G
13. M
14. F
15. N
16. E

Gesamtpunktzahl: 16 Punkte und 5 Bonuspunkte

Eigene Punktzahl: [ ]

Sektion 0046: Wie lautet die Registriernummer ... (Untersektion 2)

1. NCC-173
2. NCC-26517
3. NCC-4598
4. NCC-71807
5. NCC-3890
6. NCC-59621
7. NCC-42857
10. NCC-42296
11. NCC-10532
12. NCC-45231
13. NCC-38907
14. NCC-2010
15. NCC-65491
16. NCC-43837
19. NCC-61827
20. NCC-61826
21. NCC-14232
22. NCC-65420
23. NCC-18253
24. NCC-63102
25. NCC-34852

8. NCC-2593	17. NCC-1837	26. NCC-2544
9. NCC-10376	18. NCC-62043	

Gesamtpunktzahl: 26 Punkte und 5 Bonuspunkte

Eigene Punktzahl: ☐

Sektion 0047: Wer schrieb das Drehbuch zu ... (Untersektion 9)

1. C	5. G	9. K	13. D
2. J	6. H	10. F	
3. B	7. E	11. A	
4. I	8. L	12. M	

Gesamtpunktzahl: 13 Punkte und 5 Bonuspunkte

Eigene Punktzahl: ☐

Sektion 0048: Alle Zeit der Sterne (Untersektion 9)

1. C	5. L	9. M	13. F
2. K	6. I	10. B	
3. D	7. E	11. G	
4. J	8. H	12. A	

Gesamtpunktzahl: 13 Punkte und 5 Bonuspunkte

Eigene Punktzahl: ☐

Sektion 0049: Dreierlei (Untersektion 2)

1. H j
2. A. h
3. I i
4. B c
5. L k
6. C b
7. G f
8. D g
9. J e
10. M d
11. E a
12. K e
13. F m

Gesamtpunktzahl: 13 Punkte und 5 Bonuspunkte

Eigene Punktzahl: ☐

Sektion 0050: In welcher Episode ... (Untersektion 8)

1. Die geheimnisvolle Kraft
2. Ronin
3. Ort der Finsternis
4. Interface
5. Gefährliche Spielsucht
6. Verbotene Liebe
7. Déjà Vu
8. Die Reise ins Ungewisse
9. Auf schmalem Grat
10. Tödliche Nachfolge
11. Der Sammler

Gesamtpunktzahl: 11 Punkte und 5 Bonuspunkte

Eigene Punktzahl: ☐

Sektion 0051: Raumschiffklassen (Untersektion 3)

1. H
2. B
5. C
6. M
9. J
10. L
13. D

3. I	7. F	11. E
4. G	8. A	12. K

Gesamtpunktzahl: 13 Punkte und 5 Bonuspunkte

Eigene Punktzahl: ☐

Sektion 0052: Unser Mann im Hintergrund

1. 19. August 1921
2. in El Paso, Texas
3. 24. Oktober 1991
4. Eileen Rexroat
5. Eugene Wesley Roddenberry
6. 1951; Dragnet
7. *333 Montgomery Street*
8. *The Lieutenant*
9. *Ein Computer wird gejagt*

Gesamtpunktzahl: 9 Punkte und 5 Bonuspunkte

Eigene Punktzahl: ☐

Sektion 0053: Alle Zeit der Sterne (Untersektion 10)

1. E	5. A	9. G	13. K
2. J	6. L	10. C	
3. F	7. B	11. D	
4. I	8. H	12. M	

Gesamtpunktzahl: 13 Punkte und 5 Bonuspunkte

Eigene Punktzahl: ☐

Sektion 0054: Planeten, Systeme und andere Orte (Untersektion 2)

1. De-Laure-Gürtel
2. Delb II
3. Delinia II
4. Delos
5. Delphi Ardu
6. Delta Rana IV
7. drei
8. im Delta-Quadranten
9. Pentarus V
10. Doraf I
11. Kevin Uxbridge
12. Draken IV
13. Pentarus V
14. Dulisian IV
15. Dytallix B
16. Strnad-System
17. Gaspar VII
18. Emila II
19. Epsilon Silar
20. Evadne IV
21. Tyrus VIIa
22. Tilonius IV
23. Romulus
24. M33
25. Gamma Erandi-Nebel
26. klingonisches Hoheitsgebiet
27. Garadius-System
28. Garon II
29. Garth-System
30. Gemaris V
31. Cardassia
32. Gravesworld
33. Hurada III
34. Hurkos III
35. Persephone V und Mordan IV
36. Igo-Sektor
37. aus dem Nebel FGC-47
38. Mordan IV
39. Torona IV
40. Jaros II
41. Jouret IV
42. Kenda II
43. Durenia IV
44. Kostolain
45. auf Brentalia
46. Malcor III
47. Pentarus III
48. Lagana-Sektor
49. Landris II
50. Suvin IV
51. Lima Sierra
52. auf der klingonischen Heimatwelt
53. Solarion IV
54. Solais V
55. Omega Sagitta-System
56. Velara III
57. Marejaretus VI
58. auf der Erde
59. Miridian VI
60. Morgana-Quadranten
61. Angel One
62. Mudor V
63. Betazed
64. Morgana-Quadrant
65. auf Xerxes VII

66. Beth Delta I
67. Penthara IV
68. der dritte
69. auf Betazed
70. Persephone V
71. Romulus
72. Rhomboid-Dronegar-Sektor
73. im Kohlan-System
74. Sentinel Minor IV
75. Septimus Minor
76. auf Shiralea VI
77. Tarsas III
78. Station Nigala IV
79. auf Cardassia
80. Tau Alpha C
81. Gamma Hromi II
82. Zed Lapis-Sektor
83. Turkana IV
84. Turkana IV
85. Solais V
86. das Barradas-System
87. Hekaras II
88. Cerebus II
89. auf die Erde, um die drei aufgetauten Schläfer aus dem 20. Jahrhundert nach Hause zu bringen
90. nach Terlina III
91. Vulkan
92. Bajor
93. auf New Gaul
94. Scylla-Sektor
95. Mericor-System
96. Koalition von Madena
97. Beloti-Sektor

Gesamtpunktzahl: 97 Punkte und 5 Bonuspunkte

Eigene Punktzahl: ☐

Sektion 0055: In welcher Episode ... (Untersektion 9)

1. Riker unter Verdacht
2. Der Barzanhandel
3. Parallelen
4. Der Reisende
5. Sherlock Data Holmes
6. Der Gott der Mintakaner
7. Die alte Enterprise
8. Die Frau seiner Träume, Andere Sterne, andere Sitten, Die Damen Troi, Die Auflösung, Hochzeit mit Hindernissen, Ort der Finsternis
9. Neue Intelligenz

10. Familienbegegnung
11. Datas Tag

Gesamtpunktzahl: 11 Punkte und 5 Bonuspunkte

Eigene Punktzahl: ☐

Sektion 0056: Planeten und ihre Episode (Untersektion 4)

1. F	5. H	9. K	13. N
2. M	6. I	10. C	14. E
3. G	7. B	11. L	
4. A	8. J	12. D	

Gesamtpunktzahl: 14 Punkte und 5 Bonuspunkte

Eigene Punktzahl: ☐

Sektion 0057: Getränke und Speisen

1. »Es ist grün.«; Aldebaranischen Whisky
2. aldorianisches Ale
3. andonianischen Tee
4. Arcturianischer Fizz
5. Balso-Tonic
6. Banana Split
7. Calaman-Sherry
8. Bergamottöl
9. 400 Jahre alte Kakaobohnen
10. Mantickianische Paté
11. Pfefferminztee
12. Owon-Eier
13. Papalla-Saft
14. ein süßliches Getränk
15. Macchiato

Gesamtpunktzahl: 15 Punkte und 5 Bonuspunkte

Eigene Punktzahl: ☐

Sektion 0058: Alle Zeit der Sterne (Untersektion 11)

1. C
2. A
3. K
4. G
5. H
6. J
7. D
8. M
9. E
10. I
11. L
12. F
13. B

Gesamtpunktzahl: 13 Punkte und 5 Bonuspunkte

Eigene Punktzahl: ☐

Sektion 0059: Fragen Sie Ihren Arzt oder Apotheker

1. andronesische Encephalitis
2. eine synthetische T-Zelle
3. Hyronalin
4. Inaprovalin
5. intravenös per Hypospray
6. Rushton-Infektion
7. Stockholm-Syndrom
8. am Forrester-Trent-Syndrom
9. am Terrelianischen Todessyndrom
10. an einer urodelianischen Grippe

Gesamtpunktzahl: 10 Punkte und 5 Bonuspunkte

Eigene Punktzahl: ☐

Sektion 0060: In welcher Episode ... (Untersektion 10)

1. Katastrophe auf der Enterprise
2. Beweise
3. Der Schachzug, Teil 1
4. Neue Intelligenz
5. Das Kind
6. In den Händen der Borg
7. Der Kampf um das klingonische Reich II, Angriff auf Borg, Teil 1
8. Die Macht der Paragraphen
9. Galavorstellung
10. 11001001
11. Gedankengift

Gesamtpunktzahl: 11 Punkte und 5 Bonuspunkte

Eigene Punktzahl: [ ]

Sektion 0061: Raumschiffklassen (Untersektion 4)

1. F	5. I	9. D	13. L
2. G	6. H	10. K	
3. B	7. A	11. J	
4. M	8. C	12. E	

Gesamtpunktzahl: 13 Punkte und 5 Bonuspunkte

Eigene Punktzahl: [ ]

Sektion 0062: Rollen-Spiele (Untersektion 2)

1. John Doe
2. Captain Paul Rice
3. Ensign Suzanne Dumont

4. Wesley Crusher
5. 2005
6. Jono
7. Drei Jahre, neun Monate
8. Captain Thadiun Okona
9. Captain Bryce Shumar
10. Admiral Uttan Narsu
11. William T. Riker
12. Varria
13. den Antriebsspezialisten Kosinski
14. Dr. Arridor, Kol
15. Alexana Devos
16. Javier Maribona-Picard
17. Ensign Matt Franklin
18. Commander Orfil Quinteros
19. Galek Sar
20. Mark Jameson
21. Grundschullehrerin auf der Enterprise
22. Captain Gleason
23. Morgan Bateson
24. ›Der Kampf um das klingonische Reich I‹
25. in zwei, ›Die Sünden des Vaters‹, ›Tödliche Nachfolge‹
26. Gloria
27. Gosheven
28. Admiral Gromek
29. Andrus Hagen
30. Cadet Second Class Jean Hajar
31. Captain Thomas Halloway
32. Hawkins
33. Commander Calvin Hutchinson
34. Chief Hutchinson
35. Kivas Fajo
36. Inad, Tarmin, Jev
37. Jev
38. Rivas Jakara
39. Dr. Beverly Crusher
40. Captain Kargan

41. Kazago
42. Anne und Melissa
43. Kelsey
44. Commander Toreth
45. Kahless, der Unvergeßliche
46. aus Blutspuren am Messer von Kirom
47. Ja, da er aus den genetischen Informationen aus Blutresten erschaffen, die dem legendären Kahless zugeschrieben wurden. Sollte das allerdings nicht stimmen, dann war alles für die Katz...
48. der Reisende
49. Krag
50. LaForge und der kriosianische Botschafter Briam
51. K'Temoc
52. LaForge
53. Guinan ist nur als Guinan bekannt, Soran hat einen Vornamen: Tolian
54. Captain L. Isao Telaka
55. Lathal Bine
56. DaiMon Lurin
57. Commander Bruce Maddox
58. Marian
59. Captain Nu'Daq
60. Guinan
61. Captain Walter Granger
62. Renny
63. Maura
64. die vom Schiff entführte Katie
65. zweimal; ›11001001‹, ›Gedächtnisverlust‹
66. Oliana Mirren, Mordock, T'Shanik
67. Captain Conklin
68. Lieutenant Monroe
69. Picard
70. Dr. Mowray
71. Commander Steven Mullen
72. Captain Narth
73. Liam Dieghan

74. William T. Riker
75. Novakovich
76. Datas Bruder Lore, die Borg nennen ihn so
77. Geordi LaForge
78. Prokonsul Neral
79. von Yuta
80. Deanna Troi
81. Rashella
82. Rata
83. Captain Taggert
84. er gab 2349 seine Staatsbürgerschaft der Föderation auf, um bei den Romulanern zu leben
85. Captain Paul Rice
86. Todd Matthews
87. Sakkath
88. Sublieutenant Setal
89. Mr. Setti
90. er ist Kellner
91. Katik Shaw
92. Mart McChesney
93. Captain Silvestri
94. William T. Riker
95. Subcommander Thei
96. Gomtuu
97. Gouverneur Torak
98. Vash
99. Gul Macet
100. Dr. Olafson
101. Timothy
102. Vigo
103. Wrenn
104. Xelo
105. Loquel und Byleth
106. Anna, gleichfalls Überlebende eines Absturzes
107. von dem Yridianer Yranac
108. Galen
109. Koral

110. DaiMon Prak
111. Captain Sirol
112. Maturin
113. in Jessel Howard
114. Sito Jaxa, Sam Lavelle, Alyssa Ogawa, Taurik
115. Joret Dal
116. auf Garvin und dessen Tochter Gia
117. Jayden
118. Skoran
119. Schmied
120. Korgano
121. Lt. Kwan
122. Picard und Data

Gesamtpunktzahl: 122 Punkte und 5 Bonuspunkte

Eigene Punktzahl: ☐

Sektion 0063: Wer schrieb das Drehbuch zu ... (Untersektion 10)

1. F
2. L
3. B
4. G
5. M
6. H
7. A
8. I
9. C
10. N
11. D
12. K
13. E
14. J

Gesamtpunktzahl: 14 Punkte und 5 Bonuspunkte

Eigene Punktzahl: ☐

Sektion 0064: Planeten und ihre Episoden (Untersektion 5)

1. E	5. D	9. B	13. H
2. F	6. C	10. A	14. G
3. K	7. I	11. N	
4. L	8. J	12. M	

Gesamtpunktzahl: 14 Punkte und 5 Bonuspunkte

Eigene Punktzahl: ☐

Sektion 0065: Die lieben Verwandten

1. Tante Adele
2. Kurn
3. 2345
4. M'Rel
5. Hiro Ishikawa
6. Michael O'Brien
7. ein Jahr
8. Lorgh
9. Demora
10. laut ›Interface‹ Silva; laut Sterbeurkunde in ›So nah und doch so fern‹ jedoch Alvera K. LaForge
11. Raymond Marr
12. Shiana
13. im El'nar-See auf Betazed
14. Pran Tainer
15. Felisa Howard
16. Miranda Vigo
17. Worfs Sohn Alexander aus der Zukunft
18. Nel Apgar
19. Mogh
20. Lorgh
21. Lieutenant Ballard

22. seine Mutter
23. ein Onkel von Guinan
24. Kamin alias Picard, Kamie ist der Sohn von Meribor und Enkel von Kamin
25. Kumamoto
26. 2368
27. auf der Enterprise in Ten-Forward
28. Obachan
29. Michael
30. Danilo Odell
31. Maurice und Yvette Gessard Picard
32. Winzer
33. Jake und Willie
34. Patricia Quaice
35. Donald Raymond
36. Jean-Luc Riker
37. Connor und Moira Rossa
38. Aaron Satie
39. Ian Andrew Troi und Lwaxana Troi
40. Ariana

Gesamtpunktzahl: 40 Punkte und 5 Bonuspunkte

Eigene Punktzahl: ☐

Sektion 0066: In welcher Episode ... (Untersektion 11)

1. Odan, der Sonderbotschafter
2. Mutterliebe
3. Der unbekannte Schatten
4. Katastrophe auf der Enterprise
5. Am Ende der Reise
6. Das zweite Leben
7. Picard macht Urlaub
8. Die Begegnung im Weltraum

9. Auf schmalem Grat
10. Gestern, heute, morgen

Gesamtpunktzahl: 10 Punkte und 5 Bonuspunkte

Eigene Punktzahl: ☐

**Sektion 0067: Wer schrieb das Drehbuch zu …
(Untersektion 11)**

1. F	5. H	9. L	13. D
2. J	6. K	10. C	
3. G	7. B	11. M	
4. A	8. I	12. E	

Gesamtpunktzahl: 13 Punkte und 5 Bonuspunkte

Eigene Punktzahl: ☐

Sektion 0068: Fremde Rassen, fremde Tiere und so weiter

1. Alcyoner
2. drei
3. Lumerianer
4. Allianz und Koalition
5. Cytherianer
6. Sheliak
7. Armus
8. R'uustai
9. zwei Stunden
10. eine klingonische Oper
11. BaH
12. ein klingonisches Spiel zum Kräftemessen

13. unter Klingonen eine Beleidigung
14. Ba'ltmasor-Syndrom
15. Bolianer
16. der bardakianische Hornsprossenelch
17. Pardek
18. Beata
19. ab 200
20. von den Aldeanern
21. Zibalianer
22. ein talarianisches Trauerritual
23. Ajur und Boratus
24. Delta-Quadrant
25. von den Borg
26. die bajoranische Bezeichnung für die Seele
27. ein typisches klingonisches Gericht
28. B'tardat
29. Leyor
30. weil sie eine traditionelle betazoide Hochzeit wollte, bei der alle Anwesenden nackt sein müssen
31. Tokath
32. ein alkoholisches Getränk der Klingonen
33. Kinder von Tama
34. Cholera
35. Devinoni Ral
36. das klingonische Wort für ›jetzt‹
37. DaiMon
38. Timicin
39. Botschafter
40. Delaplane
41. die Iconianer
42. Iconianisch
43. das Messer eines klingonischen Kriegers
44. Gul Dolak
45. Nausicaaner
46. K'Ratak
47. Ja'rod
48. Duras

49. Kanzler Avel Durken
50. Fek'lhr
51. die Plasmapeitsche; ›Der Wächter‹
52. Finiis'ral
53. Hebitianer
54. gagh
55. Promellianer
56. ghojmok
57. Kahlest, sein Kindermädchen
58. ein Dienstrang im cardassianischen Militär
59. Nein
60. eine klingonische Beleidigung
61. Hegh'bat-Zeremonie
62. Ullianer
63. ein mysteriöser Sex-Ritus auf Risa
64. indem man die Horga'hn-Statue aufstellt
65. 4000
66. Ja'rod
67. »jiH dok« – »maj dok«
68. eine romulanische Verabschiedungsfloskel
69. K'adlo
70. Molor
71. die Mentharer
72. cardassianisches
73. Zakdorn
74. auf dem Kri'stak Volcano
75. ein kut'luch
76. Nein, eigentlich heißt er nicht Livingston. Das war nur der inoffizielle Name, der aber in den Episoden nicht erwähnt wurde
77. Nein, er wurde von den Romulanern gefangengenommen und in einem Lager im Carraya-System untergebracht
78. Tralesta
79. ein klingonischer Monatsname
80. Bezeichnung für den Teil eines klingonischen Gerichtsverfahrens, bei dem die Beweise vorgetragen werden
81. Ferengi

82. klingonisches Territorium
83. die Cardassianer
84. klingonisch für ›Stop‹
85. Mirok
86. Mizarianer
87. Movar
88. naDev ghos!
89. nIb'poH
90. ›Worfs Brüder‹
91. Oo-mox
92. die Ohren eines Ferengi
93. im Ordek-Nebel
94. Jil Orra
95. eine klingonische Beleidigung
96. Peretor
97. ein Zaldaner
98. rop'ngor
99. in der Kultur von Betazed
100. Yridianer
101. »Sokath, seine Augen unbedeckt!«
102. sie war androgyn
103. J'naii
104. Zalkonier
105. ein Klingone, es heißt »Ich bin Klingone.«
106. Borg
107. Dr. T'Pan
108. Klingonen und Romulaner
109. »Feigling.«
110. ein klingonisches Bier
111. Napeaner
112. mit den Promellianern

Gesamtpunktzahl: 112 Punkte und 5 Bonuspunkte

Eigene Punktzahl: [ ]

Sektion 0069: Wer schrieb das Drehbuch zu ... (Untersektion 12)

1. D	5. A	9. B	13. L
2. I	6. F	10. M	
3. K	7. J	11. C	
4. E	8. H	12. G	

Gesamtpunktzahl: 13 Punkte und 5 Bonuspunkte

Eigene Punktzahl: ☐

Sektion 0070: Alle Zeit der Sterne (Untersektion 12)

1. H	5. B	9. C	13. F
2. G	6. A	10. D	
3. I	7. J	11. L	
4. M	8. K	12. E	

Gesamtpunktzahl: 13 Punkte und 5 Bonuspunkte

Eigene Punktzahl: ☐

Sektion 0071: Unser heutiger Gast ...

1. David Tristan Birkin, Megan Perlan, Isis Jones, Caroline Junko King
2. Susan Diol
3. ›Wem gehört Data‹, ›Traumanalyse‹, ›Gestern, heute, morgen‹; Admiral Nakamura
4. Jimmy Ortega
5. Siddig El Fadil als Dr. Julian Bashir
6. *Next Generation*: ›11001001‹; *Classic*: ›Die Frauen des Mr. Mudd‹, ›Fast unsterblich‹

7. Ray Reinhardt
8. Neral in ›Wiedervereinigung?, Teil 1 und 2‹; kobheerianischer Captain in ›Der undurchschaubare Marritza‹; Maques in ›Ort der Finsternis‹; Ocampa in ›Suspiria‹
9. Robert Duncan McNeill, er spielte Nicholas Locarno und erhielt in *Star Trek: Voyager* eine recht ähnlich angelegte Rolle, nämlich die des Tom Paris.
10. ›In der Hand von Terroristen‹ als Pomet, ›Der Schachzug, Teil 1‹ als Yranac
11. Karen Landry
12. Mary Kohnert
13. ›Erster Kontakt‹; Steven Anderson
14. René Picard in ›Familienbegegnung‹, Jean-Luc Picard in ›Erwachsene Kinder‹
15. Ensign Tess Allenby
16. ›Der unbekannte Schatten‹; Lieutenant Hickman
17. Ensign April Anaya; ›Die Reise ins Ungewisse‹
18. zweimal; DaiMon Tarr in ›Der Wächter‹ und DaiMon Lurin in ›Erwachsene Kinder‹
19. Mick Fleetwood
20. *Next Generation*: ›Der Schachzug, Teil 1‹, *Deep Space Nine*: ›Der Kreis‹
21. Glenn Corbett
22. drei (*Next Generation*: ›Picard macht Urlaub‹, ›Gefangen in der Vergangenheit‹, *Deep Space Nine*: ›‚Q' – unerwünscht‹)
23. Magnum, als Michelle Hue
24. Ensign Pavlik in ›Die Begegnung im Weltraum‹, Lt. Monroe in ›Katastrophe auf der Enterprise‹
25. ›Das fehlende Fragment‹
26. ›Der Abgesandte‹
27. Knight Rider, Bonnie Barstow, Patricia McPherson
28. ›Angriff auf Borg, Teil 2‹, Alex Datcher
29. Dan Shor
30. ›Die geheimnisvolle Kraft‹, ›Die neutrale Zone‹, ›Der Rachefeldzug‹, ›Gefahr aus dem 19. Jahrhundert, Teil 1‹
31. Martin Benbeck

32. Dr. Leah Brahms
33. Tim O'Connor; Buck Roger; Dr. Huer
34. Robert Ito
35. Devor
36. Reiner Schöne
37. Saul Rubinek
38. Joe Falling Hawk
39. Marissa Flores
40. beide wurden von Tricia O'Neil gespielt
41. *Sister Act*
42. Soap Opera, Nicolas Coster spielte in mindestens 12 verschiedenen Serien mit, davon zweimal in der jeweils gleichen Rolle
43. James Sloyan
44. Thelma Lee
45. als Dr. Selar und K'Ehleyr
46. Lance LeGault
47. Ashley Judd, sie wirkte als Robin Lefler in ›Darmok‹ und ›Gefährliche Spielsucht‹ mit; in *Heat* (mit Robert DeNiro) spielte sie gleichfalls mit
48. John Durbin
49. Ensign Peter Lin in *Next Generation* ›Augen in der Dunkelheit‹, Ray Tsingtao in *Classic* in ›Kurs auf Markus 12‹
50. Liva
51. In *Next Generation* spielt er in Birthrigt den Klingonen L'Kor, in *T. J. Hooker* spielte er an der Seite von William Shatner, der seinerseits bekannt sein dürfte als Captain Kirk
52. David Warner, er hatte in allen Episoden/Filmen Gastrollen
53. Walter Gotell
54. Cameron Arnett
55. ›Begegnung mit der Vergangenheit‹
56. Sie spielten in ›Begegnung mit der Vergangenheit‹ ein Ehepaar
57. Sie stammen beide vom Planeten Benzar und sie wurden beide von John Putch gespielt
58. Jennifer Nash
59. Michael Snyder

60. Nagilum sollte zunächst von Richard Mulligan gespielt werden, dessen Name rückwärts geschrieben Nagilum ergibt (minus ein ›l‹); als Psychiater in *Terminator I* und *II*
61. Admiral Nakamura; er spielte zusammen mit Bruce Boxleitner, Hauptdarsteller in *Babylon 5*, eine feste Rolle in der Serie *Bring 'em Back Alive*
62. in *Star Trek VI – Das unentdeckte Land* spielte er den romulanischen Botschafter Nanclus, in *Next Generation* hatte er in ›Der Wächter‹ die Rolle des Portal
63. James Cromwell; in der Episode spielt er Nayrok, im Film ist er Zefram Cochrane
64. Vize-Admiral Alynna Nechayev
65. Caroline Junko King
66. *Mit Schirm, Charme und Melone*, es handelt sich um Linda Thorson
67. Ja, Nick Tate
68. Bill Bastiani
69. David Warner
70. Cory Danziger
71. Adam Ryen
72. Renora in *Deep Space Nine*: ›Der Fall ‚Dax'‹
73. der Gaststar der Episode, der taube Howie Seago
74. Megan Perlan
75. Transporter-Offizier B. G. Robinson
76. Rondon in ›Prüfungen‹
77. Admiral Norah Satie
78. sie war die Borg-Königin
79. Fran Bennett
80. Kavi Raz
81. zweimal, ›Ein mißglücktes Manöver‹, ›Beförderung‹
82. *Das A-Team*; Melinda Culea
83. Ken Jenkins
84. Jonathan Del Arco
85. Nehemiah Persoff
86. den Klingonen Toq
87. in *Star Trek IV – Zurück in die Gegenwart* als Captain der U.S.S. Saratoga

88. Amick Byram
89. Wil Wheaton; Wesley Crusher
90. Michael Mack
91. Bruce Beatty
92. Ronnie Claire Edwards
93. Kimberley Cullum
94. Anthwara
95. Armin Shimerman als Quark
96. James Sloyan
97. Tim Russ
98. 15. Juni 1943
99. Leeds, GB
100. *If...*
101. *Uhrwerk Orange*
102. *If..., O Lucky Man!, Britannia Hospital*
103. der Film *Flucht in die Zukunft* aus dem Jahr 1979, bei dem er mit dem Regisseur Nicholas Meyer zusammenarbeitete, der wiederum bei den beiden *Star Trek*-Filmen Regie führte
104. am 28. März 1994
105. 22. Januar 1969
106. *Wunderbare Jahre*, Karen Arnold
107. George Aguilar
108. Anticaner Badar N'D'D in ›Die geheimnisvolle Kraft‹, Romulaner T'Bok in ›Die neutrale Zone‹, Cardassianer Gul Macet in ›Der Rachefeldzug‹, Frederick La Rouque in ›Gefahr aus dem 19. Jahrhundert, Teil 1‹
109. dreimal, ›Der große Abschied‹, ›Andere Sterne, andere Sitten‹, ›Beweise‹
110. *Dr. Quinn*; Matthew Cooper
111. Carolyn Allport
112. Shelley Johnson in *Twin Peaks*
113. *Twin Peaks - Der Film*
114. *Die besten Jahre*
115. 7. August 1992
116. *Psycho*
117. Dan Hill

118. *Next Generation*: Koras in ›Worfs Brüder‹, *Deep Space Nine*: Gul Dunar in ›Die Khon-Ma‹, *Voyager*: Telek R'Mor in ›Das Nadelöhr‹
119. Jack London
120. Stephanie Beacham
121. Hertfordshire, England
122. *SeaQuest DSV*
123. Jeanne Cooper
124. Wien
125. Earl Billings
126. Ensign Janet Brooks in ›Das kosmische Band‹, Picards Gattin in *Star Trek: Treffen der Generationen*
127. Mark Bramhall
128. Alison Brooks
129. Brian Brophy
130. Dr. Farallon; Ellen Bry
131. 3. September 1959
132. 17. März 1989
133. *Square Pegs*; Johnny Slash
134. Clive Church
135. Shannon Cochran
136. Kanzler Avel Durkin
137. Kargan in ›Der Austauschoffizier‹ und Grebnedlog in ›Das Herz eines Captains‹
138. Rickey D'Shon Collins; ›Indiskretionen‹, ›Der Komet‹, ›Ritus des Aufsteigens‹
139. *Ein Schweinchen namens Babe*
140. Tim deZarn
141. Ellen Albertini Dow
142. *Die Himmelhunde von Boragora*
143. Samantha Eggar
144. in London
145. Er spielte in *Star Trek IV – Zurück in die Gegenwart* den Präsidenten der Föderation
146. Schauspieler Will Geer
147. Dr. Leah Brahms in ›Die Energiefalle‹ und ›Die Begegnung im Weltraum‹ (es handelt sich um Susan Gibney)

148. James Gleason
149. *Frasier*
150. Journalist
151. Australien
152. Yanara
153. als Sam Fujiyama in *Quincy*
154. Anthony James; Subcommander Thei
155. 3. Februar 1934
156. Edmund Walker
157. Jacqueline Kim
158. Captain John Harriman
159. Thomas Kopache
160. Alice Krige
161. Elizabeth Hoffman
162. 28. Juni 1954
163. Norman Lloyd
164. Ensign Hayes
165. Toronto
166. Paskall
167. Amanda McBroom
168. zweimal, ›Der unbekannte Schatten‹, ›Angriff auf Borg, Teil 1‹
169. Karnas in ›Die Entscheidung des Admirals‹; Korax in ›Kennen Sie Tribbles?‹
170. 6. April 1944
171. Holly Gilliam
172. Joe Piscopo
173. *Quincy*
174. ›Sherlock Data Holmes‹, ›Klingonenbegegnung‹
175. Ronin; Shakaar
176. Die neutrale Zone
177. Michael Rider
178. Marco Rodriguez
179. Lynn Salvatore
180. William Dwight Schultz
181. Christopher James Miller
182. ›Botschafter Sarek‹ und ›Wiedervereinigung?, Teil 1‹

183. *Star Trek VI – Das unentdeckte Land*
184. *M*A*S*H*; Major Charles Emerson Winchester
185. in den Niederlanden
186. ›Die Frau seiner Träume‹, ›Andere Sterne, andere Sitten‹, ›Die Damen Troi‹, ›Die Auflösung‹, ›Hochzeit mit Hindernissen‹
187. John Tesh, Präsentator von *Entertainment Tonight*
188. Susanna Thompson; Varel in ›So nah und doch so fern‹, Jaya in ›Phantasie oder Wahrheit‹
189. ›Die Sünden des Vaters‹
190. erwachsener Jake Sisko
191. Ishara Yar in ›Die Rettungsoperation‹
192. Liz Vassey
193. *Police Academy V – Auftrag: Miami Beach*
194. ›Fähnrich Ro‹, ›Der einzige Überlebende‹
195. Commander Dr. Edward M. LaForge in ›Interface‹
196. ›Der Kampf um das klingonische Reich I‹
197. 2. November 1917
198. Kayron in ›Der Wächter‹, Berik in ›Erwachsene Kinder‹
199. Andreana Weiner
200. ›Die Sorge der Aldeaner‹
201. Amy Wheaton und Jeremy Wheaton; in ›Die Sorge der Aldeaner‹
202. Noble Willingham
203. *Walker, Texas Ranger*
204. ›Ein mißglücktes Manöver‹
205. ›Beweise‹, ›Datas erste Liebe‹, ›Das Gesicht des Feindes‹
206. Ray Wise
207. Mary Steenburgen
208. Lily Sloane
209. 8. November 1953
210. *Cross Creek*
211. *St. Elsewhere*
212. R. J. Williams
213. Barbara Alyn Woods
214. N'Vek; David Scott MacDonald
215. Lt. Commander Argyle in ›Der Reisende‹, ›Das Duplikat‹

216. Dr. Paul Manheim
217. *Kampfstern Galactica*; Xavier
218. beide Rollen wurden von Jerry Hardin gespielt
219. Chefingenieur Sarah MacDougal
220. Albert Einstein (Jim Morton), Professor Stephen Hawking (Professor Stephen Hawking), Sir Isaac Newton (John Neville)
221. Shana O'Brien, Heather Long
222. Basketballspieler; James Worthy
223. Ausgerechnet die Frau, deren Rolle in *Aliens – Die Rückkehr* Gene Roddenberry zur Schaffung des Charakters Tasha Yar in *Star Trek – The Next Generation* inspirierte, war acht Jahre später in *Star Trek* zu sehen!
224. Sie spielte Lal in ›Datas Nachkomme‹, sie ist die Stieftochter von Guy Raymond aus ›Kennen Sie Tribbles?‹
225. Julie Warner
226. Hedril; ›Ort der Finsternis‹; *Interview mit einem Vampir*
227. *Fackeln im Sturm*
228. *Spenser*

Gesamtpunktzahl: 228 Punkte und 5 Bonuspunkte

Eigene Punktzahl: ☐

Sektion 0072: In welcher Episode (Untersektion 12)

1. Eine hoffnungsvolle Romanze
2. Hochzeit mit Hindernissen
3. Gefahr aus dem 19. Jahrhundert, Teil 1
4. Verräterische Signale
5. Die Auflösung
6. Rikers Versuchung
7. Das Gesetz der Edo
8. Brieffreunde

9. Andere Sterne, andere Sitten
10. Hotel Royale

Gesamtpunktzahl: 10 Punkte und 5 Bonuspunkte

Eigene Punktzahl: ☐

Sektion 0073: Planeten und ihre Episoden (Untersektion 6)

1. E	5. F	9. G	13. M
2. I	6. C	10. L	14. D
3. B	7. K	11. A	
4. J	8. N	12. H	

Gesamtpunktzahl: 14 Punkte und 5 Bonuspunkte

Eigene Punktzahl: ☐

Sektion 0074: Schiffe und Shuttles

1. keine Klasse, lediglich ein Transportraumschiff
2. NSP-17938
3. nach Ray Bradbury, dem berühmten SF-Autor
4. die Adelphi
5. 2285
6. 26
7. Krayton
8. Arcos
9. NCC-10521
10. Antares-Klasse
11. U.S.S. Arcos
12. U.S.S. Aries
13. Cleponji
14. U.S.S. Zhukov
15. Batris
16. U.S.S. Thomas Paine
17. 2,5 Millionen Tonnen
18. fünf Borg
19. die I.K.C. Bortas
20. Vor'cha-Klasse
21. die I.K.C. Bortas
22. die U.S.S. Lantree

23. Tripoli
24. U.S.S. Trieste
25. Decius
26. Dorian
27. Q'Maire
28. Fermi
29. Feynman
30. Goddard
31. Haakona
32. U.S.S. Havana
33. Hegh'ta
34. Jovis
35. D'Deridex-Klasse
36. Kreechta
37. Taris Murn
38. Reklar
39. Essex
40. Maht-H'a
41. Vor'cha-Klasse
42. U.S.S. Merrimac
43. U.S.S. Merrimac
44. Mondor
45. Qu'Vat
46. mit der Sakharov
47. auf der ersten U.S.S. Enterprise
48. YLT-3069
49. Voltaire
50. in der Schlacht bei Wolf 359
51. als U.S.S. Grissom in *Star Trek III – Auf der Suche nach Mr. Spock*
52. 13
53. I.K.C. Vorn
54. das medizinische Versorgungsschiff Fleming

Gesamtpunktzahl: 54 Punkte und 5 Bonuspunkte

Eigene Punktzahl: ☐

Sektion 0075: Wer schrieb das Drehbuch zu ... (Untersektion 13)

1. A
2. J
3. L
4. E
5. D
6. K
7. F
8. C
9. M
10. N
11. G
12. H
13. B
14. I

Gesamtpunktzahl: 14 Punkte und 5 Bonuspunkte

Eigene Punktzahl: ☐

Sektion 0076: Alle Zeit der Sterne (Untersektion 13)

1. M
2. D
3. L
4. C
5. K
6. B
7. E
8. I
9. F
10. G
11. A
12. H
13. J

Gesamtpunktzahl: 13 Punkte und 5 Bonuspunkte

Eigene Punktzahl: ☐

Sektion 0077: Gäste von gestern

1. 2368
2. Leonard Nimoy und DeForest Kelley
3. 2233
4. 137
5. 2165
6. 2294
7. 2230
8. 2285
9. 2285
10. 2368
11. die zweite, er war mit einer vulkanischen Prinzessin verheiratet, die bei der Geburt des ersten Sohnes Sybok starb
12. sieben Jahre
13. S179-276 SP
14. T-Negativ
15. Perrin
16. der erste
17. auf der Enterprise unter Captain Pike
18. McCoy
19. Skon
20. SE 19754.T
21. Solkar
22. Sarek und Amanda Grayson

Gesamtpunktzahl: 22 Punkte und 5 Bonuspunkte

Eigene Punktzahl: ☐

Sektion 0078: Planeten und ihre Episoden (Untersektion 7)

1. B
2. L
3. J
4. F
5. H
6. D
7. A
8. K
9. G
10. I
11. M
12. E
13. N
14. C

Gesamtpunktzahl: 14 Punkte und 5 Bonuspunkte

Eigene Punktzahl: ☐

Sektion 0079: Alle Zeit der Sterne (Untersektion 14)

1. H
2. C
3. D
4. B
5. K
6. A
7. E
8. I
9. F
10. J
11. G

Gesamtpunktzahl: 11 Punkte und 5 Bonuspunkte

Eigene Punktzahl: ☐

Sektion 0080: Wer schrieb das Drehbuch? (Untersektion 14)

1. E
2. L
3. F
4. M
5. A
6. N
7. G
8. B
9. H
10. C
11. I
12. D
13. K
14. J

Gesamtpunktzahl: 14 Punkte und 5 Bonuspunkte

Eigene Punktzahl: ☐

Sektion 0081: Dies und das

1. *Star Trek II – Der Zorn des Khan*; Merritt Butrick und Judson Scott; David Marcus und Joachim; T'Jon und Sobi
2. *The High Chaparral*; Manolito Montoya; 1967–71
3. ›Encounter at Farpoint‹, ›Tapestry‹, ›All Good Things ...‹
4. Robert Duncan McNeill, ›Ein mißglücktes Manöver‹, Nicholas Locarno
5. Accolan; Dan Mason; Aldea; 2364
6. Deep Space 4; an Bord eines al-leyanischen Transporters.
7. Ärztin in *Star Trek IV – Zurück in die Gegenwart*, Außerirdische in *Star Trek VI – Das unentdeckte Land*, El-Aurianerin in *Star Trek: Treffen der Generationen*
8. Lieutenant Commander; Ed Lauter
9. Alrik; Kanzler; Famke Janssen
10. Amazing Detective Stories; Dixon Hill; 1934
11. Marc Alaimo; Commander Tebok, Gul Macet, Frederick La Rouque
12. Zwei; Daniel Stewart, Logan White
13. 22. Jahrhundert, Risa
14. 2368; Sutherland; klingonischer Bürgerkrieg
15. Ethan Phillips; ›Die Damen Troi‹; Dr. Farek; Ferengi
16. traditionelle Waffe; Ligon II
17. Admiral Haden; ›Der Überläufer‹, ›Der Rachefeldzug‹
18. 2365; Captain Donald Varley
19. Isabella
20. Bilana III; Richard McGonagle
21. 2279–2364; Anne Jameson
22. 2364; Picard
23. Ja'rod; 2346
24. auf Tavela Minor; ein Fluß
25. Etana Jol; Katherine Moffat
26. zwölf Tage und zwölf Nächte; weil sein Bruder gelogen und Schande über die Familie gebracht hatte; Morath
27. Ressik; Eline; Meribor und Batai
28. 2369
29. 27. Jahrhundert

30. 2368
31. 2364; die außerirdischen Invasoren, die die Sternenflotte in ihre Gewalt bringen wollten
32. Patricia Tallman; Kiros, Stuntdouble für Gates McFadden, Lyta Alexander
33. Ensign Kopf; ›Die ungleichen Brüder‹
34. Koroth; Alan Oppenheimer; *Deep Space Nine*
35. Romulus; es handelt sich um einen Regierungsbezirk, den Pardek 2368 vertrat
36. Leonard J. Crowfoot; ›Planet Angel One‹; Trent
37. Vasquez Rock; zu sehen in den Classic-Episoden ›Landeurlaub‹, ›Ganz neue Dimensionen‹ und ›Im Namen des jungen Tiru‹
38. sie spielten beide die gleiche Rolle, den Friseur Mot. Desai nur beim ersten Auftritt, Thorley anschließend
39. Quark; Armin Shimerman; ›Ritus des Aufsteigens‹
40. ›Angriff auf Borg, Teil 1‹; John Neville
41. Rocketeer; William O. Campbell; ›Der unmögliche Captain Okona‹; Teri Hatcher; *Superman – Die Abenteuer von Lois und Clark*
42. Oji; ›Der Gott der Mintakaner‹
43. Par Lenor, Sovak; ›Eine hoffnungsvolle Romanze‹, ›Picard macht Urlaub‹; Max Grodénchik
44. Malachi Throne; Commodore José Mendez, Senator Pardek; ›Talos IV – Tabu‹, ›Wiedervereinigung?, Teil 1 und 2‹
45. ›Der unmoralische Friedensvermittler‹; Ensign
46. Lanei Chapman; Ensign Rager
47. zweimal; ›Prüfungen‹, ›Die Verschwörung‹
48. Robin Curtis; Tallera in ›Der Schachzug, Teil 1 und 2‹
49. Admiral Savar; Henry Darrow
50. Erster Offizier; William T. Riker
51. ›In den Händen der Borg‹ / ›Angriffsziel Erde‹; Elizabeth Dennehy
52. Noley Thornton; Clara Sutter
53. Ensign Daniel Sutter; Jeff Alin
54. Dathon; ›Darmok‹; Captain Clark Terrell in *Star Trek II – Der Zorn des Khan*

55. Dara; David Ogden Stiers, Michelle Forbes
56. Nellen Tore; Ann Shea
57. ›Die Waffenhändler‹ als Ensign Lian T'su, in *Deep Space Nine* in ›Das Paradiesexperiment‹ als Cassiopeia
58. Sabrina Lebeauf als Ensign Giusti in ›Der Schachzug, Teil 1‹; William Thomas, jr. in ›Die Rückkehr von Ro Laren‹
59. V'Shar; für den vulkanischen Geheimdienst
60. Juliana Tainer; ›Soongs Vermächtnis‹
61. Erik Pressman, Admiral
62. Alexander Enberg; ›Gefahr aus dem 19. Jahrhundert, Teil 2‹
63. DaiMon Prak, DaiMon Bok; ›Die Raumkatastrophe‹, ›Boks Vergeltung‹; Gral in ›Die Nachfolge‹
64. B'Ijik; ›Wiedervereinigung?, Teil 1 und 2‹; Erick Avari
65. Corbin Bernsen; *L.A. Law*, Arnold Becker
66. *Babylon 5*; G'Kar; Narn
67. Michael Berryman; *Hügel der blutigen Augen* und *Im Todestal der Wölfe*
68. Roy Brocksmith; Sima Kolrami
69. Avery Brooks; Benjamin Sisko
70. Vekor; ›Der Schachzug, Teil 1 und 2‹; Caitlin Brown
71. Picards Kinder im Nexus
72. Frank Collison; Gul Dolak in Fähnrich Ro
73. DaiMon Bok in ›Die Schlacht von Maxia‹, DaiMon Tog in ›Die Damen Troi‹
74. Parem, Crosis
75. Nikki Cox – Sarjenka in ›Brieffreunde‹; Richard Cox – Kyril Finn in ›Terror auf Rutia-Vier‹; Ronny Cox – Captain Edward Jellico im Zweiteiler ›Geheime Mission auf Seltris‹
76. *Next Generation*: Premierminister Nayrok in ›Die Verfemten‹, Jaglom Shrek in ›Der Moment der Erkenntnis, Teil 1 und 2‹; *Deep Space Nine*: Hanok in ›Starship Down‹; *Film*: Zefram Cochrane in *Star Trek: Der erste Kontakt*
77. Daniel Davis; Die Nanny
78. *Star Trek: Voyager*; ›Der Namenlose‹; Haliz
79. Susan Diol; ›Das Recht auf Leben‹; Dr. Danara Pel; ›Lifesigns‹, ›Resolutions‹

80. Gene Dynarski; Ben Childress in ›Die Frauen des Mr. Mudd‹, Krodak in ›Fast unsterblich‹
81. *Waltons*; Corabeth Godsey
82. Commander Taibak; ›Verräterische Signale‹
83. ›Der Moment der Erkenntnis, Teil 1 und 2‹; Ba'el; Jennifer Gatti
84. zweimal; Jo'Bril in ›Verdächtigungen‹, Lt. Barnaby in ›Angriff auf Borg, Teil 2‹
85. Dobara; ›Die oberste Direktive‹; Penny Johnson
86. *Next Generation*: Maturin in ›Ronin‹; *Voyager*: Hrothgar in ›Helden und Dämonen‹; *Picket Fences*
87. Jessel; ›Gestern, heute, morgen‹
88. Kay E. Kuter; einen Cytherianer
89. Mallon in ›Yuta, die letzte ihres Clans‹; er ist mit Marina Sirtis verheiratet
90. Karen Hensel
91. Lance LeGault; K'Temoc in ›Klingonenbegegnung‹

Gesamtpunktzahl: 91 Punkte und 5 Bonuspunkte

Eigene Punktzahl: ☐

AUSWERTUNG

Sektion 0001: _____ Punkte (maximal 152 Punkte möglich)

Sektion 0002: _____ Punkte (maximal 15 Punkte möglich)

Sektion 0003: _____ Punkte (maximal 21 Punkte möglich)

Sektion 0004: _____ Punkte (maximal 18 Punkte möglich)

Sektion 0005: _____ Punkte (maximal 54 Punkte möglich)

Sektion 0006: _____ Punkte (maximal 18 Punkte möglich)

Sektion 0007: _____ Punkte (maximal 19 Punkte möglich)

Sektion 0008: _____ Punkte (maximal 18 Punkte möglich)

Sektion 0009: _____ Punkte (maximal 28 Punkte möglich)

Sektion 0010: _____ Punkte (maximal 16 Punkte möglich)

Sektion 0011: _____ Punkte (maximal 18 Punkte möglich)

Sektion 0012: _____ Punkte (maximal 78 Punkte möglich)

Sektion 0013: _____ Punkte (maximal 17 Punkte möglich)

Sektion 0014: _____ Punkte (maximal 19 Punkte möglich)

Sektion 0015: _____ Punkte (maximal 99 Punkte möglich)

Sektion 0016: _____ Punkte (maximal 16 Punkte möglich)

Sektion 0017: _____ Punkte (maximal 16 Punkte möglich)

Sektion 0018: _____ Punkte (maximal 18 Punkte möglich)

Sektion 0019: _____ Punkte (maximal 120 Punkte möglich)

Sektion 0020: _____ Punkte (maximal 18 Punkte möglich)

Sektion 0021: _____ Punkte (maximal 21 Punkte möglich)

Sektion 0022: _____ Punkte (maximal 16 Punkte möglich)

Sektion 0023: _____ Punkte (maximal 16 Punkte möglich)

Sektion 0024: _____ Punkte (maximal 18 Punkte möglich)

Sektion 0025: _____ Punkte (maximal 19 Punkte möglich)

Sektion 0026: _____ Punkte (maximal 17 Punkte möglich)

Sektion 0027: _____ Punkte (maximal 18 Punkte möglich)

Sektion 0028: _____ Punkte (maximal 18 Punkte möglich)

Sektion 0029: _____ Punkte (maximal 83 Punkte möglich)

Sektion 0030: _____ Punkte (maximal 16 Punkte möglich)

Sektion 0031: _____ Punkte (maximal 19 Punkte möglich)

Sektion 0032: _____ Punkte (maximal 31 Punkte möglich)

Sektion 0033: _____ Punkte (maximal 18 Punkte möglich)

Sektion 0034: _____ Punkte (maximal 18 Punkte möglich)

Sektion 0035: _____ Punkte (maximal 60 Punkte möglich)

Sektion 0036: _____ Punkte (maximal 16 Punkte möglich)

Sektion 0037: _____ Punkte (maximal 19 Punkte möglich)

Sektion 0038: _____ Punkte (maximal 25 Punkte möglich)

Sektion 0039: _____ Punkte (maximal 12 Punkte möglich)

Sektion 0040: _____ Punkte (maximal 18 Punkte möglich)

Sektion 0041: _____ Punkte (maximal 18 Punkte möglich)

Sektion 0042: _____ Punkte (maximal 16 Punkte möglich)

Sektion 0043: _____ Punkte (maximal 16 Punkte möglich)

Sektion 0044: _____ Punkte (maximal 18 Punkte möglich)

Sektion 0045: _____ Punkte (maximal 21 Punkte möglich)

Sektion 0046: _____ Punkte (maximal 31 Punkte möglich)

Sektion 0047: _____ Punkte (maximal 18 Punkte möglich)

Sektion 0048: _____ Punkte (maximal 18 Punkte möglich)

Sektion 0049: _____ Punkte (maximal 18 Punkte möglich)

Sektion 0050: _____ Punkte (maximal 16 Punkte möglich)

Sektion 0051: _____ Punkte (maximal 18 Punkte möglich)

Sektion 0052: _____ Punkte (maximal 14 Punkte möglich)

Sektion 0053: _____ Punkte (maximal 18 Punkte möglich)

Sektion 0054: _____ Punkte (maximal 102 Punkte möglich)

Sektion 0055: _____ Punkte (maximal 16 Punkte möglich)

Sektion 0056: _____ Punkte (maximal 19 Punkte möglich)

Sektion 0057: _____ Punkte (maximal 20 Punkte möglich)

Sektion 0058: _____ Punkte (maximal 18 Punkte möglich)

Sektion 0059: _____ Punkte (maximal 15 Punkte möglich)

Sektion 0060: _____ Punkte (maximal 16 Punkte möglich)

Sektion 0061: _____ Punkte (maximal 18 Punkte möglich)

Sektion 0062: _____ Punkte (maximal 127 Punkte möglich)

Sektion 0063: _____ Punkte (maximal 19 Punkte möglich)

Sektion 0064: _____ Punkte (maximal 19 Punkte möglich)

Sektion 0065: _____ Punkte (maximal 45 Punkte möglich)

Sektion 0066: _____ Punkte (maximal 15 Punkte möglich)

Sektion 0067: _____ Punkte (maximal 18 Punkte möglich)

Sektion 0068: _____ Punkte (maximal 117 Punkte möglich)

Sektion 0069: _____ Punkte (maximal 18 Punkte möglich)

Sektion 0070: _____ Punkte (maximal 18 Punkte möglich)

Sektion 0071: _____ Punkte (maximal 233 Punkte möglich)

Sektion 0072: _____ Punkte (maximal 15 Punkte möglich)

Sektion 0073: _____ Punkte (maximal 19 Punkte möglich)

Sektion 0074: _____ Punkte (maximal 59 Punkte möglich)

Sektion 0075:	_____	Punkte (maximal 19 Punkte möglich)
Sektion 0076:	_____	Punkte (maximal 18 Punkte möglich)
Sektion 0077:	_____	Punkte (maximal 27 Punkte möglich)
Sektion 0078:	_____	Punkte (maximal 19 Punkte möglich)
Sektion 0079:	_____	Punkte (maximal 16 Punkte möglich)
Sektion 0080:	_____	Punkte (maximal 19 Punkte möglich)
Sektion 0081:	_____	Punkte (maximal 96 Punkte möglich)

Gesamtpunktzahl: _____ (maximal 2656 Punkte möglich)

BEURTEILUNG

Nach soviel zermürbendem Kopfrechnen (Sie haben doch hoffentlich wirklich im Kopf gerechnet, oder?) ist es nun an der Zeit, daß Sie Ihren Platz im Trek-Wissen bestimmen.

2656 Punkte: Trek-Genius

Viele fühlen sich berufen, nur wenige sind auserwählt. Sie *sind* auserwählt! Als Trek-Genius wissen Sie auf jede Frage in Sachen Trek eine Antwort. Und auch noch die richtige Antwort. Herzlichen Glückwunsch!

2655–2125 Punkte: Trek-Großmeister

Ihnen kann kaum jemand das Wasser reichen. Aber vielleicht sollten Sie noch ein wenig daran arbeiten, um es auch noch zur letzten und höchsten Stufe zu schaffen? Auf jeden Fall: Respekt!

2124–1673 Punkte: Trek-Experte

Ihr Trek-Wissen weist zwar einige Lücken auf, aber Sie kennen Ihre persönlichen Schwachpunkte und werden diese in Zukunft zu vermeiden wissen. Weiter so!

1672–1355 Punkte: Trek-Fachmann

Sie darf man getrost um Trek-Rat fragen. Man bekommt zwar nicht immer eine Antwort, aber für jeden Unbedarften sind Sie eine Quelle des Wissens.

1354–1036 Punkte: Trek-Kenner

Ihnen kann man auch schon nicht mehr alles erzählen, wenn es um Trek-Wissen geht. Zwar immer noch eine ganze Menge, aber einen großen Teil können Sie schon problemlos aus eigener Kraft beantworten.

1037–611 Punkte: Trek-Fortgeschrittener

Gar nicht mal so schlecht. Natürlich ist Ihnen klar, daß dies nur ein erster Test war, damit Sie schwerpunktmäßig die Lücken in Ihrem Trek-Wissen feststellen und daran arbeiten können. Aber lassen Sie sich nicht entmutigen!

610–10 Punkte: Trek-Anfänger

Jeder hat einmal klein angefangen. Wenn Sie sich allerdings im unteren Bereich dieser Kategorie befinden, dann ist es ein sehr kleiner Anfang. Also nichts wie los und Episoden ansehen. Es gibt noch viel zu tun – packen Sie's an!

Unter 10 Punkte: Trek-... Ja, was denn bloß?

Nein, das stimmt doch nicht wirklich, oder? Haben Sie auch wirklich alle Punkte zusammengerechnet? Oder etwa nur die aus Sektion 0014? Sie sollten sich noch einmal *gründlich* mit der Materie befassen, den Test ein zweites Mal ablegen und über diesen ersten Anlauf den Mantel des Schweigens hüllen.

in der Reihe
HEYNE SCIENCE FICTION & FANTASY

STAR TREK: CLASSIC SERIE

Vonda N. McIntyre, Star Trek II: Der Zorn des Khan · 06/3971
Vonda N. McIntyre, Der Entropie-Effekt · 06/3988
Robert E. Vardeman, Das Klingonen-Gambit · 06/4035
Lee Correy, Hort des Lebens · 06/4083
Vonda N. McIntyre, Star Trek III: Auf der Suche nach Mr. Spock · 06/4181
S. M. Murdock, Das Netz der Romulaner · 06/4209
Sonni Cooper, Schwarzes Feuer · 06/4270
Robert E. Vardeman, Meuterei auf der Enterprise · 06/4285
Howard Weinstein, Die Macht der Krone · 06/4342
Sondra Marshak & Myrna Culbreath, Das Prometheus-Projekt · 06/4379
Sondra Marshak & Myrna Culbreath, Tödliches Dreieck · 06/4411
A. C. Crispin, Sohn der Vergangenheit · 06/4431
Diane Duane, Der verwundete Himmel · 06/4458
David Dvorkin, Die Trellisane-Konfrontation · 06/4474
Vonda N. McIntyre, Star Trek IV: Zurück in die Gegenwart · 06/4486
Greg Bear, Corona · 06/4499
John M. Ford, Der letzte Schachzug · 06/4528
Diane Duane, Der Feind – mein Verbündeter · 06/4535
Melinda Snodgrass, Die Tränen der Sänger · 06/4551
Jean Lorrah, Mord an der Vulkan Akademie · 06/4568
Janet Kagan, Uhuras Lied · 06/4605
Laurence Yep, Herr der Schatten · 06/4627
Barbara Hambly, Ishmael · 06/4662
J. M. Dillard, Star Trek V: Am Rande des Universums · 06/4682
Della van Hise, Zeit zu töten · 06/4698
Margaret Wander Bonanno, Geiseln für den Frieden · 06/4724
Majliss Larson, Das Faustpfand der Klingonen · 06/4741
J. M. Dillard, Bewußtseinsschatten · 06/4762
Brad Ferguson, Krise auf Centaurus · 06/4776
Diane Carey, Das Schlachtschiff · 06/4804
J. M. Dillard, Dämonen · 06/4819
Diane Duane, Spocks Welt · 06/4830
Diane Carey, Der Verräter · 06/4848
Gene DeWeese, Zwischen den Fronten · 06/4862
J. M. Dillard, Die verlorenen Jahre · 06/4869
Howard Weinstein, Akkalla · 06/4879
Carmen Carter, McCoys Träume · 06/4898
Diane Duane & Peter Norwood, Die Romulaner · 06/4907
John M. Ford, Was kostet dieser Planet? · 06/4922
J. M. Dillard, Blutdurst · 06/4929
Gene Roddenberry, Star Trek (I): Der Film · 06/4942
J. M. Dillard, Star Trek VI: Das unentdeckte Land · 06/4943
David Dvorkin, Die Zeitfalle · 06/4996
Barbara Paul, Das Drei-Minuten-Universum · 06/5005

STAR TREK™

Judith & Garfield Reeves-Stevens, Das Zentralgehirn · 06/5015
Gene DeWeese, Nexus · 06/5019
D. C. Fontana, Vulkans Ruhm · 06/5043
Judith & Garfield Reeves-Stevens, Die erste Direktive · 06/5051
Michael Jan Friedman, Das Doppelgänger-Komplott · 06/5067
Judy Klass, Der Boacozwischenfall · 06/5086
Julia Ecklar, Kobayashi Maru · 06/5103
Peter Norwood, Angriff auf Dekkanar · 06/5147
Carolyn Clowes, Das Pandora-Prinzip · 06/5167
Diana Duane, Die Befehle des Doktors · 06/5247
V. E. Mitchell, Der unsichtbare Gegner · 06/5248
Dana Kramer-Rolls, Der Prüfstein ihrer Vergangenheit · 06/5273
Michael Jan Friedman, Schatten auf der Sonne · 06/5179
Barbara Hambly, Der Kampf ums nackte Überleben · 06/5334
Brad Ferguson, Eine Flagge voller Sterne · 06/5349
Gene DeWeese, Die Kolonie der Abtrünnigen · 06/5375
Michael Jan Friedman, Späte Rache · 06/5412
Peter David, Der Riß im Kontinuum · 06/5464
Michael Jan Friedman, Gesichter aus Feuer · 06/5465
Peter David/Michael Jan Friedman/Robert Greenberger, Die Enterbten ·06/5466
L. A. Graf, Die Eisfalle · 06/5467
John Vornholt, Zuflucht · 06/5468
L. A. Graf, Der Saboteur · 06/5469
Melissa Crandall, Die Geisterstation · 06/5470
Mel Gilden, Die Raumschiff-Falle · 06/5471
V. E. Mitchell, Tore auf einer toten Welt · 06/5472
Victor Milan, Aus Okeanos Tiefen · 06/5473
Diane Carey, Das große Raumschiff-Rennen · 06/5474
Diane Carey, Kirks Bestimmung · 06/5476

STAR TREK: THE NEXT GENERATION
David Gerrold, Mission Farpoint · 06/4589
Gene DeWeese, Die Friedenswächter · 06/4646
Carmen Carter, Die Kinder von Hamlin · 06/4685
Jean Lorrah, Überlebende · 06/4705
Peter David, Planet der Waffen · 06/4733
Diane Carey, Gespensterschiff · 06/4757
Howard Weinstein, Macht Hunger · 06/4771
John Vornholt, Masken · 06/4787
David & Daniel Dvorkin, Die Ehre des Captain · 06/4793
Michael Jan Friedman, Ein Ruf in die Dunkelheit · 06/4814
Peter David, Eine Hölle namens Paradies · 06/4837

Jean Lorrah, Metamorphose · 06/4856
Keith Sharee, Gullivers Flüchtlinge · 06/4889
Carmen Carter u. a., Planet des Untergangs · 06/4899
A. C. Crispin, Die Augen der Betrachter · 06/4914
Howard Weinstein, Im Exil · 06/4937

STAR TREK™

Michael Jan Friedman, Das verschwundene Juwel · 06/4958
John Vornholt, Kontamination · 06/4986
Mel Gilden, Baldwins Entdeckungen · 06/5024
Peter David, Vendetta · 06/5057
Peter David, Eine Lektion in Liebe · 06/5077
Howard Weinstein, Die Macht der Former · 06/5096
Michael Jan Friedman, Wieder vereint · 06/5142
T. L. Mancour, Spartacus · 06/5158
Bill McCay/Eloise Flood, Ketten der Gewalt · 06/5242
V. E. Mitchell, Die Jarada · 06/5279
John Vornholt, Kriegstrommeln · 06/5312
Laurell K. Hamilton, Nacht über Oriana · 06/5342
David Bischoff, Die Epidemie · 06/5356
Diane Carey, Abstieg · 06/5416
Michael Jan Friedman, Relikte · 06/5419
Michael Jan Friedman, Die Verurteilung · 06/5444
Simon Hawke, Die Beute der Romulaner · 06/5413
Rebecca Neason, Der Kronprinz · 06/5414
John Peel, Drachenjäger · 06/5415
Diane Duane, Dunkler Spiegel · 06/5417
Susan Wright, Der Mörder des Sli · 06/5438
W. R. Thomson, Debtors Planet · 06/5439
Michael Jan Friedman & Kevin Ryan, Requiem · 06/5442
Dafydd ab Hugh, Gleichgewicht der Kräfte · 06/5443

STAR TREK: DIE ANFÄNGE
Vonda N. McIntyre, Die erste Mission · 06/4619
Margaret Wander Bonanno, Fremde vom Himmel · 06/4669
Diane Carey, Die letzte Grenze · 06/4714

STAR TREK: DEEP SPACE NINE
J. M. Dillard, Botschafter · 06/5115
Peter David, Die Belagerung · 06/5129
K. W. Jeter, Die Station der Cardassianer · 06/5130
Sandy Schofield, Das große Spiel · 06/5187
Lois Tilton, Verrat · 06/5323
Diane Carey, Die Suche · 06/5432
Esther Friesner, Kriegskind · 06/5430
Melissa Scott, Der Pirat · 06/5434
Nathan Archer, Walhalla · 06/5512
Greg Cox/John Gregory Betancourt, Der Teufel im Himmel · 06/5513
Robert Sheckley, Das Spiel der Laertianer · 06/5514

STAR TREK: STARFLEET KADETTEN
John Vornholt, Generationen · 06/6501
Peter David, Worfs erstes Abenteuer · 06/6502
Peter David, Mission auf Dantar · 06/6503
Peter David, Überleben · 06/6504

Brad Strickland, Das Sternengespenst · 06/6505
Brad Strickland, In den Wüsten von Bajor · 06/6506
John Peel, Freiheitskämpfer · 06/6507
Mel Gilden & Ted Pedersen, Das Schoßtierchen · 06/6508
John Vornholt, Erobert die Flagge! · 06/6509
V. E. Mitchell, Die Atlantis Station · 06/6510
Michael Jan Friedman, Die verschwundene Besatzung · 06/6511
Michael Jan Friedman, Das Echsenvolk · 06/6512
Diane G. Gallagher, Arcade · 06/6513
John Peel, Ein Trip durch das Wurmloch · 06/6514
Brad & Barbara Strickland, Kadett Jean-Luc Picard · 06/6515

STAR TREK: VOYAGER
L. A. Graf, Der Beschützer · 06/5401
Peter David, Die Flucht · 06/5402
Nathan Archer, Ragnarök · 06/5403
Susan Wright, Verletzungen · 06/5404
John Betancourt, Der Arbuk-Zwischenfall · 06/5405
Christie Golden, Die ermordete Sonne · 06/5406
Mark A. Garland & Charles G. McGraw, Geisterhafte Visionen · 06/5407
S. N. Lewitt, Cybersong · 06/5408

DAS STAR TREK-UNIVERSUM, 2 Bde.,
überarbeitete und aktualisierte Neuausgabe!
von *Ralph Sander* · 06/5150

DAS STAR TREK-UNIVERSUM, Ergänzungsband
von *Ralph Sander* · 06/5151

William Shatner/Chris Kreski, Star Trek Erinnerungen · 06/5188
William Shatner/Chris Kreski, Star Trek Erinnerungen: Die Filme · 06/5450

Phil Farrand, Cap'n Beckmessers Führer durch
STAR TREK – DIE NÄCHSTE GENERATION · 06/5199
Phil Farrand, Cap'n Beckmessers Führer durch
STAR TREK – DIE CLASSIC SERIE · 06/5451

Ralph Sander, Star Trek Timer 1997 · 06/1997
Nichelle Nichols, Nicht nur Uhura · 06/5547
Leonard Nimoy, Ich bin Spock · 06/5548
Lawrence M. Krauss, Die Physik von Star Trek · 06/5549
J. M. Dillard, Star Trek: Wo bisher noch niemand gewesen ist · 06/6500
Judith & Garfield Reeves-Stevens, Star Trek – Deep Space Nine:
Die Realisierung einer Idee · 06/5550
Judith & Garfield Reeves-Steven, Star Trek Design · 06/5545
Aris Kazidian & Bruce Jacoby, Das Star Trek Kochbuch · 06/5546

Diese Liste ist eine Bibliographie erschienener Titel
KEIN VERZEICHNIS LIEFERBARER BÜCHER!